銀座で生きる

石井健次

彩図社

夜の銀座の顔「クラブ」

▲クラブ「昴」　　　「くらぶ　藤」▶

クラブ「りぼん」

クラブ「華壇　銀座」

クラブ「RUNDELL」

夜の銀座を彩る「バー、飲食店」

バー「銀座 TENDER」

割烹「酒と味　大羽」

レストラン「みやざわ」

銀座で生きる

石井健次

彩図社

まえがき　～路地を抜けて～

東京銀座には、世界中から来日する観光客でにぎわう昼間の銀座と、白色を基調としたネオンさんざめく夜の銀座という2つの貌《かお》がある。

この本は夜の銀座を彩るクラブ、バー、そして割烹や喫茶店、酒屋、不動産屋、花屋など夜の銀座を支える当事者たちの証言を集めたものである。

昔も今も、日本を代表する社交場（盛り場）「銀座」の地名は、江戸時代の銀貨鋳造所「銀座役所」に由来する。

正式な町名は新両替町、「銀座」は通称であった。1869（明治2）年に銀座が地名として制定されてから150年が過ぎた。

「銀座」というのは、その名のとおり江戸幕府のために銀貨を製造する座組織のことで、銀の買い入れ、管理、事務を取り仕切る役所と、銀貨の鋳造を行う工場とがあった。その後「銀座」

は日本橋蠣殻町《かきがら》に移転したが、「銀座」という名だけは残ったのである。

銀座は職人の住む町だった。観世、金春、金剛など能役者の拝領屋敷に加え、歌舞伎役者、絵師、常磐津の師匠なども住んでいた。さらに、現在の銀座通り（中央通り）には呉服店をはじめ大きな商店（大店）が軒を並べる商売でにぎわう町でもあった。

要するに、江戸時代から銀座は商業、文化、芸能の中心地、発信地だったのである。元禄時代に隆盛の頂点を迎えた銀座は、その後凋落の道を辿り、徳川幕府崩壊、明治維新と時代の変遷を経て、１８７２（明治５）年、明治政府によって西欧風の煉瓦街に生まれ変わった。そこからの新しい銀座が、現在まで脈々とつながっている。

日本史のおさらいをしたいわけではない。日本一、否、世界一の盛り場である「銀座」にふれるためには、最初に〝文化の伝承〟の上に現在の「銀座」があるということを確認しておきたいのである。

北から南まで全国各地に盛り場があるが、その最高峰に銀座が位置する由縁も、そこにあるのではないだろうか。

現在、銀座の行政地名は銀座１丁目から銀座８丁目。商業地域は銀座通り沿いの晴海通りから４丁目を中心に広がっていて、高級クラブ、バー等ナイト系の店は、６丁目～８丁目に集中している。

銀座には高級クラブからミニクラブまで「クラブ」というカテゴリに含まれるお店の数が、バブル最盛期には3000店ほどあったと言われているが、3・11以降半分の1500店ほどとなっている。そのうち高級クラブと呼ぶにふさわしい店は数えるほどしかないともいわれている。高級クラブの定義も、人によって異なるのだが。

銀座クラブで働いているホステスの実数など調べようもないのだが、少なく見積もって1店当たり10人としても、1万5000人以上の女の子が夜の銀座で生きている。

大人の社交場を代表するバーの数は、約350軒といわれている。そのほか「ラウンジ」「キャバクラ」「スナック」など多様なナイト系の店を加えるとすると、店舗数も女の子の数も実態はつかめない。

店の数や女の子の人数だけではない。夜の銀座の実態は世間にはよくわからず、イメージばかりが先行している。

松本清張の『黒革の手帖』をはじめ銀座クラブが登場する小説やテレビドラマなどから、銀座クラブは魑魅魍魎《ちみもうりょう》のドロドロした世界というイメージをもっている人もいることだろう。夜の銀座が出てくるフィクションは果たして夜の銀座の実態を描きだしているのだろうか。

大方の人の銀座クラブのイメージは、こんなふうではないだろうか。

お店のママやホステスは色華やかなきものに着替え、夕方美容院で髪をセットし、夜7時ごろお店に出勤、政界、財界の大物、大企業の社長、重役クラス、芸能人、スポーツ選手などの常連客を笑顔で迎え、座っただけで3万円～5万円、軽く数十万円を超えるボトルをキープして飲み遊ぶところ。ふつうの生活をしている人たちには無縁なところ……。

経済的に銀座で遊ぶ余裕のある生活をしていても、アンチクラブ派の人間もいる。

ネット上には銀座高級クラブの種々雑多な情報が飛び交っていて、表面的なことはわかる。そして、その情報を信じている人も大勢いる。

証言者の言。

「本当に有用な情報はネットには出てこないし、ネットに出てきた段階で賞味期限切れ。タダで読める情報には、たいした価値が生まれないのが現実。その道に詳しい方に聞いた話や、実際に足を運んで得た情報のほうがはるかに大きな価値を持っている」

百聞は一見に如かず。そのつもりで夜ごと銀座に足を運んだのだが、夜の銀座を知悉《ちしつ》している人は、だれもが想像した以上に銀座のことをあまり語りたがらない。

踏み込んで話を聞いてみようとしても、扉さえ開けてくれない人もいた。取材意図を了承していただき、話を聞けたのはひと握りほどの数であった。

世論調査やテレビ視聴率調査などで、よく「スープの味見」という言葉が使われる。スープの味見をするときは全部飲み干さなくても、よくかき混ぜてひと口すくって飲んでみるだけで、美味しさがわかるということである。

本書で取り上げたクラブ、バーは、数からいえばまさしく銀座という「スープの味見」というところである。評価のほどは読者にゆだねるほかない。

昨今は銀座クラブママたちが書いた本が世に出ている。銀座クラブママが見た一流の男の条件、出世の仕方、お金の使い方でわかる人間の器、モテ方……といった内容である。私が聞きたかったのは屋上屋を架すごときそうしたハウツーではない。

本書は、〝銀座村〟で生きる人たちから実際に話をして感じ取った「銀座」という街の正体、銀座ならではの伝承されてきた文化、女性の生き方、女性の美しさ、銀座はこれからどうなっていくのか、どうあってほしいのかといった事々の証言を、後世に伝えられればとの思いをまとめた本である。

証言者の言。

「この路地を抜ければ、その店に行く近道なの。この路地は、あの路地はどのビルに通じているか即座にわからなければ、銀座を知っているとはいえないの」

通りと通りを結ぶ銀座の路地の暗さは、ビルからビルへとクラブの明るい華やかさをつないで息をしていた。

では、明るさのほうへ、路地を抜けて行こう。

２０２０年睦月

石井健次

『銀座で生きる』 目次

まえがき　～路地を抜けて～……6

【第一部】絢爛、豪華、格調を謳う銀座高級クラブ……17

・「そのうちなんとかなるだろう」って歌、好きなんです……20
——クラブ「昴」高田律子

・一流のホステスをみんなで育てていきたい……38
——クラブ「RUNDELL」立花らん

・真面目であり続けなければいけない。潔く生きたい……54
——「くらぶ　藤」田川藤子

・銀座をずっと好きでいてください……64

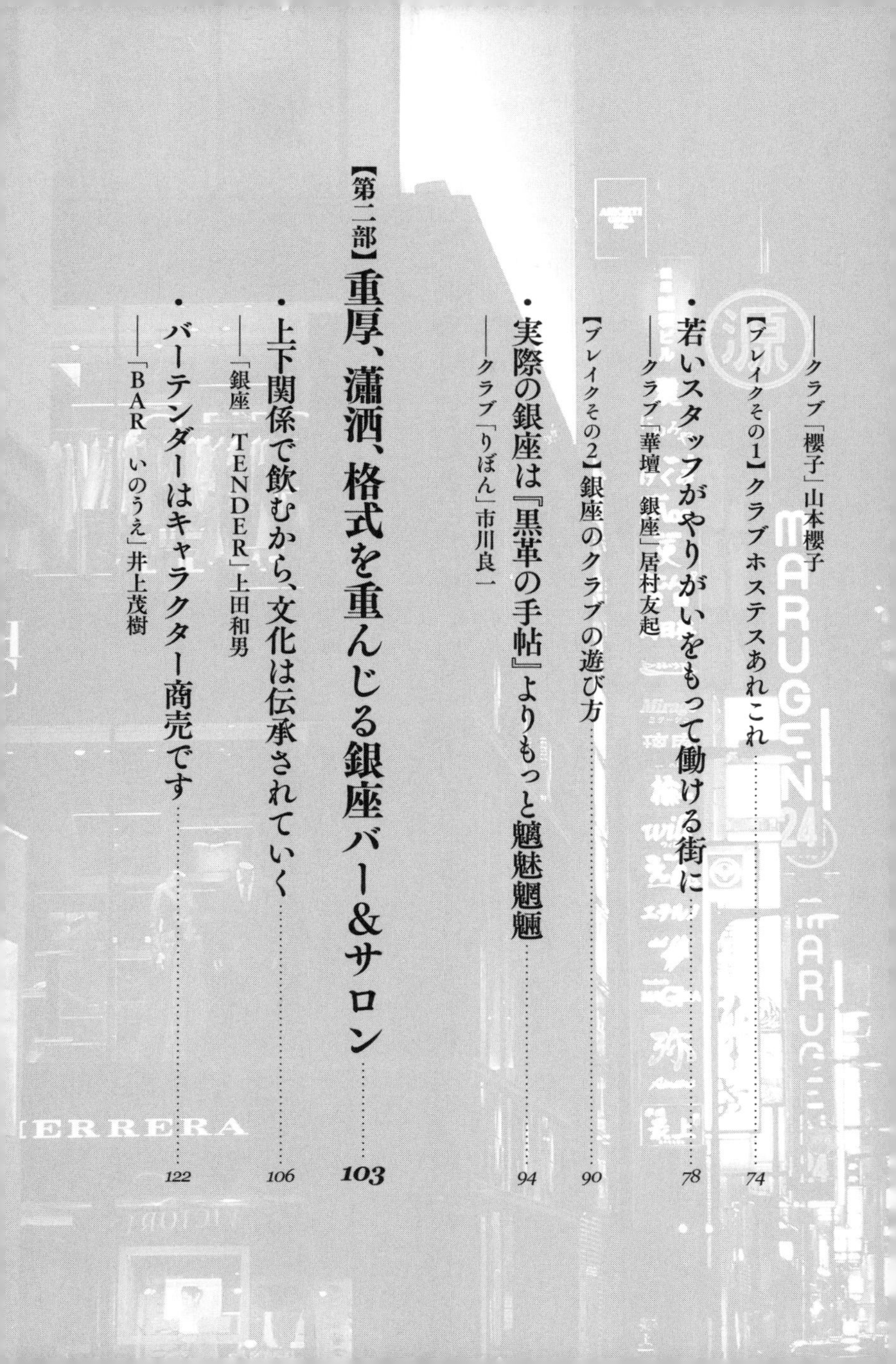

――クラブ「櫻子」山本櫻子

【ブレイクその1】クラブホステスあれこれ …… 74

・若いスタッフがやりがいをもって働ける街に …… 78

――クラブ「華壇 銀座」居村友起

【ブレイクその2】銀座のクラブの遊び方 …… 90

・実際の銀座は『黒革の手帖』よりもっと魑魅魍魎 …… 94

――クラブ「りぼん」市川良一

【第二部】重厚、瀟洒、格式を重んじる銀座バー&サロン …… 103

・上下関係で飲むから、文化は伝承されていく …… 106

――「銀座 TENDER」上田和男

・バーテンダーはキャラクター商売です …… 122

――「BAR いのうえ」井上茂樹

・お客さまからいただいた言葉「決断と勇気」を胸に……134
――「BAR Le Rivage」岸広史
【ブレイク】カクテルＡＢＣ……146
・あることがたし、感謝、仕える心で、同じことをくり返す……150
――「サロン・ド慎太郎」矢部慎太郎

【第三部】銀座村を愛する「酒・食・住」のバックヤード……163
・お店とお客さま、そしてお酒のバランスこそ銀座の魅力……166
――業務用酒販店Ａ社長
・銀座は素晴らしい街、人の心を傷つけない街です……178
――レストラン「みやざわ」清水勲
・世界に「銀座」は一つ、しかないところです……188
――割烹「銀座　汁八」青木悦子

・美味しい料理のためなら原価率は8割、9割かけても……204
——割烹「酒と味　大羽」大羽耕一

・変えるつもりはないけど柔軟さは失わない……218
——割烹「かすが」春日礼子

・銀座は成功者が集う街、ひねくれた人が少ない街です……230
——「銀座和蘭豆壱番館」佐藤慶介

・この商売、人間関係だけが生き残る道です……238
——不動産会社B社長

・銀座の人は白い花がすきですね……246
——「銀座花壇」窪西芳子

あとがき　～「夜の銀座」雑感～……254

取材協力店一覧……259

銀座マップ

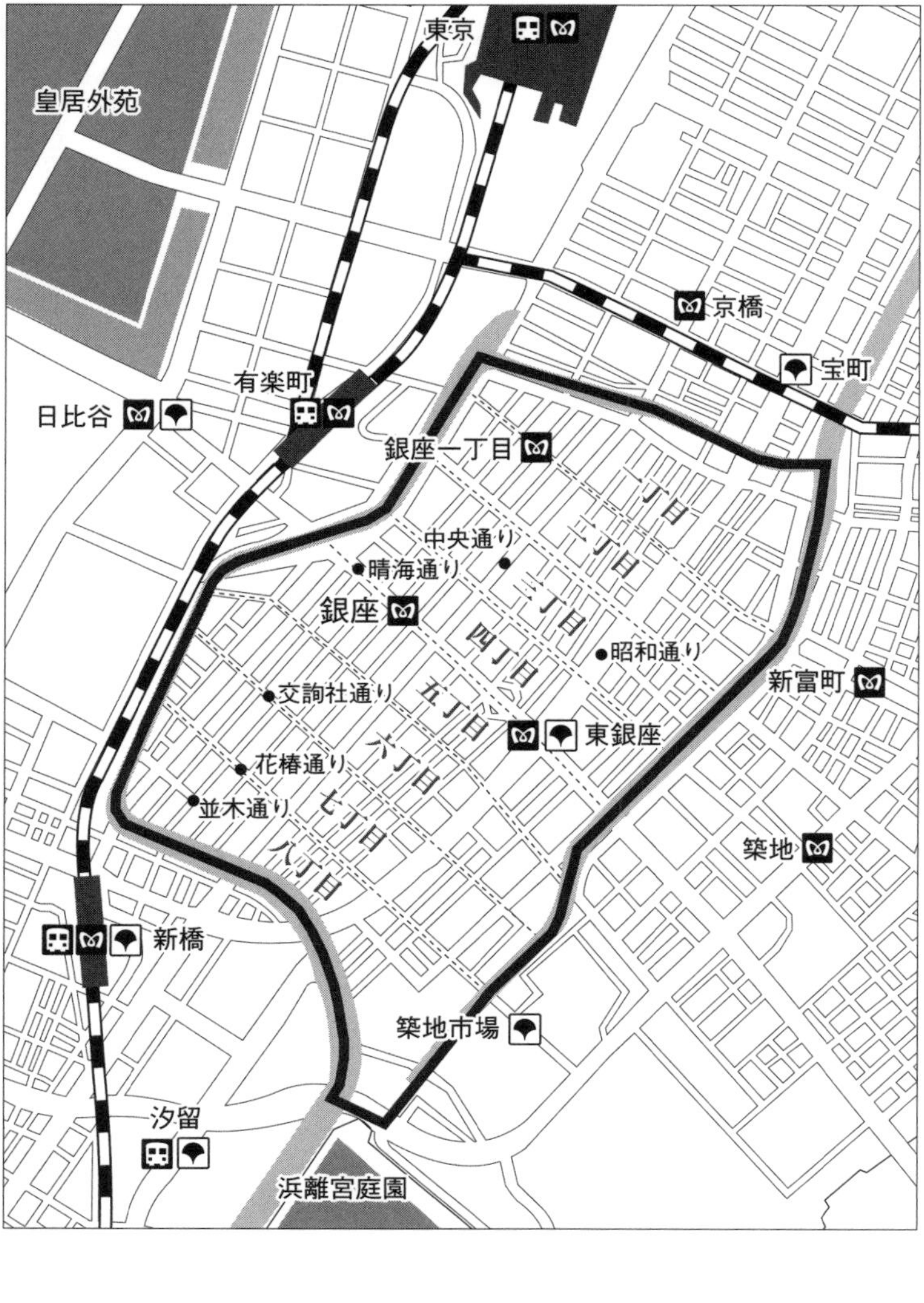
東京
皇居外苑
京橋
宝町
有楽町
日比谷
銀座一丁目
一丁目
中央通り
二丁目
晴海通り
三丁目
銀座
四丁目
昭和通り
新富町
交詢社通り
五丁目
東銀座
六丁目
花椿通り
並木通り
七丁目
八丁目
築地
新橋
築地市場
汐留
浜離宮庭園

【第一部】絢爛、豪華、格調を謳う銀座高級クラブ

序文

まえがきでも触れたが、2020年現在、銀座には1500軒ものクラブが存在しているとされている。

大小入り混じった銀座のクラブの中でも、高級クラブと呼ぶにふさわしい店は50店舗ほどだといわれている。本物の高級クラブは10店舗に満たないと、厳しい見方をする人もいる。

高級クラブは基本的には〝一見さまお断り〟つまり、紹介がないと入れない完全会員制で、VIPルームを備えたクラブもある。

銀座クラブの平均寿命は、5ヵ月ほどだそうである。それでも途切れることなく、景況の善し悪しにかかわらず、銀座には新しいクラブが次々に生まれ、消えていく新陳代謝がずっとくり返されてきた。

銀座クラブで飲めば、どこで飲むよりも高額になる。料金にはボトルなどの総額にサービスチャージがかかる。総額に対して35～50%が一般的である。初回はキープボトルを入れるのが定番のようだ。

銀座クラブには「空間（クラブ）にいることがステイタスとなる」と自認しているママがい

て、通って来る常連客がいる。

銀座以外の地で飲むよりはるかに高い料金設定は、質の高い癒しがあり、和ませてくれて、楽しませることができるというクラブの自負と矜持に根差しているようだ。

銀座クラブに、ママやホステスを口説くために足を運ぶ男たちは野暮だといわれる。お金さえ出せばどうにでもなると考えている男は、嫌われる。男を下げる。

銀座クラブで最優先されるのは肩書やお金よりも、人間性、人柄、お金の使い方の良さのようだ。そこに洗練された（教養に裏づけられた）会話の楽しさが加われば、どこのクラブでも歓迎される上客になれる。

顧客とクラブママそしてホステスたちのあいだに生まれるのは、シンプルにいえば「信頼」「信用」ということになるのか。銀座クラブで歓迎される客は、社会からの信用を得ている人間と見なしても間違いないようだ。だから、現金もカードも無しに後払いで遊ぶことができる。

クラブの数だけママがいる銀座を働く場所として選び、銀座と生きてきたママがいる。彼女たちは銀座に何を求め、何を得てきたのだろう。化粧の下の素顔は、日々何を語っているだろうか。

さて、夜の帳《とばり》も下りたようだ。クラブママ、クラブの社長、オーナーたちに生の声をきいてみよう。

「そのうちなんとかなるだろう」って歌、好きなんです

――クラブ「昴」 高田律子

〝世間知らず、苦労知らず〟が25年。情に支えられ、助けられて

クラブ「昴」は、2019年9月、開店25周年を迎えた。

高級クラブのオーナーママとして四半世紀を生きてきた律子ママの女性としての人生は、幾万言を費やそうとも、語りきれない余剰（余情）が残る。

その余情は、おそらく〝女の一生〟を通じて死ぬまで胸に秘めたまま生きていくことになるのではないだろうか。だから、いつでも「今、このとき」を言い訳の余地を残さず、精一杯に生きてきた律子ママである。

クラブ「昴」の髙田律子ママ。銀座の王道をつぐ女性として、お店をもつオーナーママとして25年。女性の自立に向かう〝ママ道〟の歩みはさらなる円熟期へ向かう。

銀行マンの家庭に育ち、社会に出てOL勤めをしていたとき、

「上司に取引相手の接待の場に連れて行かれて、カラオケで一曲歌ったら商談が決まってしまったんです。こんな仕事の決まり方もあるんだと、そのとき初めて知りました。それからです。夜の世界(銀座)に興味をもったのは」

夜の世界の奥深さに気づいたときには、すでに足を踏み入れていた。ナンバーワンホステスを経験し、雇われママを経て、バブル崩壊後に自分の店を持った。時間的経緯でたどれば、そうなる。

だが、人の心の動きとは測りがたいものである。

「30歳になったとき、上がりたい(水商売から足を洗う)とふっと思ったんです」

雇われママのころは、スタッフに軽く見られていた。女の子たちの管理も十分に出来ているとはいえなかった。店が終わると、バッグを持ったまましばらく立てないこともあった。上がりたいと思ったのは、異常だったバブル景気がはじけ、景気が低迷していたことも影響したのだろう。だが、銀座の街をカッコよく歩きたいという思いが、律子ママを踏みとどまらせた。

おもしろいことに、自分の心の迷いは、他人にはまったく違った様相に見えていたようである。ほどなくして「律子ママが店を持つ」という噂が立った。かわいがっていたホステスたちも「ママが店を持つなら、いっしょにやります」と、集まって来てくれた。

気がつけば、物件を探している自分がいた。腐れ縁を持ちたくなかったので、開店資金は自力でつくった。そこから銀座での律子ママの第二の人生、クラブオーナーママの人生がはじまったのである。25年前のことだった。

かつてマダム、いつからママになったのだろう？

取材意図・目的がきちんとしていれば、基本的に律子ママはメディアの取材に応じてきた。出たがりだからではない。日本に銀座のクラブというものがある理由を、世の中の人に知らせる必要があるのではないかと考えたからである。それも偏見を持たれずに正しく伝えたい、と。だから、15年ほど前に本も2冊出版している。でも、本音もちょっぴり。

「本を読んだお客さまだけにはお名前をださなくてもわかるんですけれど、おれのことを書いてくれているなって。お店のPRの気持ちもあったんです」

この正直さがいい。そして、律子ママは、真正面から直球を投げ込む。

「昔からホステスという職業は、人前には出られない仕事だと多くの人に思われていて、親や親戚、恋人、友だちなどに隠して働いている女性が大勢います。ご主人が銀座に飲みに行っている奥さまたちは夫に対してさまざまな不信感を抱き、素行のよくない娘でもいればもしかしたらホステスをしているのではないか、と猜疑心を抱いている親御さんもいらっしゃいます。本来のホステスというものが、銀座という場所にふさわしいきちんとした態度で働かなければ生き残っていけない職業であり、そういう職場なのだということを知ってもらいたいんです」

律子ママがふっともらした。

「銀座クラブのママはどうして、いつから〝ママ〟と呼ばれるのかしら？ 以前は〝マダム〟と言っていたのに。同業の人にも聞いてみたけれど、だれもよくわからないんです。一般的な家庭はママがいて、夫や子供たちが外から帰ってくると、いつも家にいて迎えてくれる。その安心感は何物にも代えがたいものですね。銀座のクラブママは大事な夫や父親を家族からお借りしている、仮のママという存在だからかしら」

そのためだろうか、銀座には家族の縁の薄い人が〝ママ〟を求めて多く集まって来る。

その一方で、律子ママは馴染客の妻とも、仲良くしている。ある日、一部上場企業に勤める馴染客が妻を連れて店に来たことがあった。

「奥さまは『なぜ夫は銀座に通うのか、ずっと悩んでいた』と打ち明けてくれたんです。そして『実際にお店を見て、ママとお店の方たちが（夫の）ビジネスの手伝いをし、陰ながら支えてくれているのだと強く感じました』とおっしゃっていただいたんです」

そのころ、くだんの馴染客は会社を辞めて、独立のために大変な苦労をしていた。

「人生の一大転機のときだったので、その分ストレスも多かったみたいです。もし、銀座という息抜きの場所がなかったら、家族にそのストレスが向けられたら、私ひとりで対応できたかどうか。主人には銀座があったから、ストレスを癒すことができたんですね」

妻からそんな感謝の言葉をきかされたとき、律子ママはこの仕事をしてよかったと心から思うのだった。

心から仕事を楽しむから、連日同伴連続5年記録ができた

「銀座で働くことの素晴らしさや、銀座で学んだしきたりを、たくさんの人に伝え、引き継いでいきたいと思っています。銀座は伝統のある街。ここを、私たちが守っていくんだという責務と喜びを感じながら毎日仕事をしています」

律子ママは「連日同伴連続5年」という記録保持者である。これは稀有の記録だ。同伴というのは、言葉どおり出勤前にお店の外で客と待ち合わせして、食事などをして一緒にお店に行くことである。これを5年間毎日続けたというのだから、だれもができることではない。

この輝かしい記録も、

「同伴を1年間は必ず続けようと、自分に言い聞かせたんです」

不言実行。初めから背伸びはしない。自然に身体が動いてくれるようになると、それが習慣になっていく。この記録を支えたのは、自らにノルマを課し続けた意志力以上に、何よりも仕事そのものを楽しむことができたからだ。義務感が先に立ったら、いずれ頓挫していただろう。

「若いころの同伴は、『美味しいものが食べられる』『ふだん行けないようなところに連れて行ってもらえる』というウキウキ気分だけでしたね。何より大人の話をお伺いできるというのが、いちばんの楽しみでした。一人で入っても出るときは二人。同伴で何を話したらいいかわからないという子もいるけれど、私は聞きたがりだから、いろいろなことを質問するんです。同伴は自分の知らないことを知る勉強になるし、楽しい時間です」

ホステスになりたてのころは、質問もちゃんと出来なかった。話題の引き出しも乏しかった。だから、毎日朝起きたときからときめきを探した。どんな些細なことにも、その気になって見れば、日常の風景のなかにときめきの種があるものである。

「何も思いつかなかったときには、電車の窓から見えた看板を話の切り口にしたこともありましたよ」

同伴だけではない。アフターも律子ママは精力的にこなしてきた。アフターとは、勤務後に来店してくれた客と一緒に食事などをすることである。

「アフターは掛け持ちをしました。ひと晩に何人も。最後のお客さまは午前4時、5時になってしまって。六本木の焼肉屋さんで待ち合わせたこともありました」

精神だけでなく、体力的にもタフなママである。いつ寝ているのだろうか。

「寝るのは死んでからいい」

そういって、律子ママは微笑んだ。

それでも、人間だから、すべての客を好きになれるわけではない。

「銀座のお客さまのなかにも、どうしても許せない裏切り行為をする人もいます。でも、人を嫌いになることからは何も生まれません。相手のいいところを探すクセをつけてきました。相手を嫌いにならない要素を、最低一個は探すようにしています」

さすが接客のプロの言葉である。

自分のエネルギーを最大限に燃焼させる

クラブのオーナーママは経営者である。お店の女の子や男性スタッフをマネジメントし、一致団結して売り上げを伸ばしていかなければならないのは、一般企業と同じである。

ママになりたてのころは「ママががんばっているから、私もやらなくちゃ」と思ってほしいと、ついついお店の子に期待してしまっていた。でも、みんながそう考えてくれるわけではない。自分の考え方を人に押し付けても、上手に動かすことにはつながらないということを理解できるようになるまで時間がかかった。

「若い子を育てようと思ったら、相手に自分の考えを押し付けるのではなく、トップに立った人間が自分のエネルギーを最大限に発揮して見せることを当たり前だと思わなくてはいけないのです。それは、トップに立った人の宿命です」

スタッフを叱ったり、注意したりしなければならないときは、必ずお店の外で飲食させて、車代も渡してから話をするやり方も、自分なりに試行錯誤してたどり着いたものだった。

それでも、店を辞めるか、続けるか岐路に立たされたことがあった。そんなとき、先輩のママが元気を与えてくれた。

「従業員は私が全員引き取る。もし私のところが嫌だと言ったら、次に働くところも考えるから、今は自分のことだけを考えて安心してしっかりと決断しなさいとはげましてくれました」

そうやって先輩から後輩へと、連綿と人のために尽くす心意気が引き継がれてきたことが、銀座が銀座たるゆえんなのだろう。

「銀座という街は、お金、お酒、男と女が大きく絡み合っている場所です。悔しい経験があったからこそ、深くなった友情や他人に対するありがたみなどが感じられるようになるんです。悲しい出来事や辛い思いをたどってみると、あの経験があったから、この人と知り合えたから、

「昴」の店内。重厚な扉の向こうには、煌びやかな空間が広がっていた

あの人のよさに気づいたから……ということが必ずあるものです」

こんなところにも前述した同伴の重要性が見えてくる。

「ノルマはノルマで、責任を持ってやらせなければいけません。私の店ではひと月に最低5回の同伴がノルマです。それができなければ罰金を取る決まりになっています。ノルマがなければ、自分から男性を誘ったりしないでしょう。思い切って誘ってみればいいんです。断られて恥をかいたり、気まずい思いをしたり試行錯誤をくり返しながら成長してほしいと願って私はノルマを課しています。一つでも約束ができると必ず自信につながりますから」

ノルマは回数をクリアすればいいというも

のではない。ノルマの回数だけある出会いから何をつかんだか、何を感じたかということが重要なのである。

クラブ「昴」のチーママを見いだしたのも、律子ママの眼力。律子ママが通っていた歯医者の受付に女性がいた。

「20万円の治療費を払わなければならなかったのに、その日はたまたま持ち合わせがなかったんです。どうしたものかと考えていると、受付の女性が医師の指示も仰がず『いつでも結構です』と言ってくれたんです」

自分を信用してくれたことと、自ら責任を負う決断をした潔さに惚れこみ、律子ママは自分の店に来ないかと口説いたのだ。彼女はナンバーワンホステスになり、現在、チーママとして律子ママを支えている。

ホステスのスカウトは、原則としてスカウトマンに任せず、律子ママ自身が行っている。採用に際しては、まず笑顔がよくて、返事がいいことをポイントにしているそうだ。

律子ママ流接客術の厳しさと優しさ

クラブ「昴」は、高級クラブだと律子ママは言い切る。何をもって高級なのか。

「来てくださるお客さまが一流。一流のお客さまが店を高級にしてくれるということですね」

「お客さま」を迎えた瞬間から、律子ママの本領が発揮される。もてなす側として、自分が座った目の前の空間には、独自の空気をつくることを心がけてきた。「お客さま」がよそのテーブルが気になるような空気を、座ったテーブルでつくらない。いつも自分の風を持っていて、そこに相手を巻き込むのが律子ママ流なのである。

銀座のママは大勢の人間のお酒を飲んでいる姿を見ている。銀座には多種多彩なポジションの客が来る。テーブルごとに違う話題がある。10分程度でテーブルを移り、そこで別の話題に加わらなければならない。この切り替えが自然にできないとママという仕事は勤まらない。

ホステスは一日4時間の仕事。その限られた時間が勝負。「この人に認められたい」と、律子ママは自分磨きの努力を重ねてきた。

銀座の街を愛するから、銀座に恋するオトコに恋をしたこともあった。

経験は嘘をつかない。自分が癒されていると感じたときから、本当の意味で人を癒すことが出来る。つまり、本物の接客術を身に着けることが出来るようになる。自分の仕事に誇りを持ち、女優のようになりきって仕事をすると、自分に言い聞かせ、女の子たちにも話をする。

ミーティングの場では、こんな話をくり返ししている。

「ホステスはお客さまの要求するいろいろな顔を見せ、今日のお客さまの感情を察して相手をする心得をもってください。誠心誠意の気持ちで話をしていくと、お客さまはどんなことでも理解してくれます。銀座のホステスはお客さまに会った瞬間、その一瞬の短い間に、今日のその方の心の動きを察知して、どうやって接したらいいか判断することを、日々のクセにしなければならないのです。うわべだけで接客していると、すぐに本性がバレてしまいます」

仲間同士の仁義。担当のA子の客が来て、B子しか相手ができなくても、その人はA子の客。たとえ客がB子のほうを気に入って、毎回B子を指名したとしても、A子の客なのだから、収入が増えるのはA子。そこで、B子は自分の客ではないからと、手抜きをしてはいけない。自分が担当の客の接待ができないときは、A子にもお手伝いをしてもらわなくてはならないから。同じお店で協力していかないと、到底ナンバーワンにはなれないのである。

そこで、こんな救済措置も。

「お客さまが3ヵ月間、お店にお見えにならなければ担当替えの権利が生じます。キープしているボトルも、3ヵ月来店しなければ無効になります」

さらに、ここが重要ポイント。

「お客さまを他店と共有し合うことも大切にしています。一人のお客さまを自分だけのものと思わず他のホステスと共有する気持ちを持つように話しています。同業者と仲よくしていればお客さまも楽しく飲むことができますし、銀座に足を運ぶ回数も増えることになりますから」

そのかわり、他店のC子の紹介で知り合った客に食事に誘われたら「先日、ご紹介していただいたお客さまに食事に誘っていただきました」と、C子に報告する必要がある。

その客を怒らせてしまったとしても、報告しないのはルール違反。そこの筋を通すことが一流の銀座の生き方なのだ。

「怒られるということは、人間同士の絆をつくる原点。怒られることに対して、相手は自分のどこに腹を立てているのか、と原因を真剣に考えることが必要です。相手が怒っているから、何も考えずにただ謝り、謝れば事は収まるだろうと安易におもってはダメ。怒っている相手が男性であれば、なおさらのことです」

銀座の街は粋な男たちが集う街

律子ママは、銀座という夜の世界は、一瞬うわべだけのように見えるかもしれないが、本当は人間の本音がとても見えやすい場所だとも語る。

「銀座は『成功』『出世』のシンボルです。本物の成功者は、人を使っていく難しさ、人を育てる責任の重さ、また育てた人間をどこかに送り出さなければならない寂しさなど、銀座のママを同じ感情と経験を持った仲間として見てくれます。本物の実力者は絶対に水商売だと私たちをバカにしません。むしろ銀座のママの人を見る目は確かだと信頼を寄せてくださいます」

様々なシチュエーションのお酒の席で相手の人間性を垣間見て、無意識のうちに出る言葉から将来性を見抜くといった、実体験に基づく考え方を勉強するために来る客もいる。

「責任ある地位にいらっしゃる方や重要な仕事を任された方は、決まった顔を維持しなくてもいい場所があったほうが、気持ちも楽になるようです。銀座のクラブのお客さまは、素のままの自分でいることが許される場所として銀座を選んでいるのかもしれません。そういうお客さまは、一生懸命働いています。一生懸命働いて、傷ついて、悩んで、ふっとお酒を飲みに来て癒される。求めているものが返ってくる場所、それが、銀座の姿だと思います」

銀座という学習塾で「粋」を学ぶには、高い月謝を払わなければならない。粋な男と野暮な男の違いは、お金の使い方に端的にあらわれる。

「銀座で使った100万円が、自分の会社にとって数億円になることもあり、そうした意味のある使い方は生き金になります。同じ金を落とすなら、人に対して落とすのが上手な使い方。お金の使い方で、その人の人間性もわかりますね。男が女に金を出すときというのは色恋が絡んできますが、男が男に金を出すときというのは賭けです」

銀座という街は「日本経済を動かしている」場所。日本経済のバロメーターが見える場所。これも、律子ママを支えているバックボーンの考え方である。

「銀座のクラブで、昼とは別のエネルギーを吸収している方は、間違いなく伸びていくと思います。若いころ、銀座で鍛えられて、あるいはいつか銀座で自分のお金で飲みたいという意欲をもって出世した方は実際に銀座で飲んでいます。銀座には自分を奮い立たせる何かがある。学ぶものがない場所では飲みたくないという方もいます。そうした方々のためにも、銀座の灯を守り抜くこと、これは今後も怠けずにお店を護ってママであり続けなければ、実現できることではありません」

律子ママは「銀座というのは、私にとっての世の中」だという。銀座村に長年住んでいると、人間というものが見えてくるということなのだろう。

人、それぞれの役目。孤独ではない自由はない

銀座というところは、ただ飲みに来たからといって、すぐに客になれるわけではない。かつては10年飲んで、初めて〝銀座の客〟と言われていた時代もある。お金がいっぱいあるから上客というわけでなく〝プロの客〟になれるとも限らない。

「銀座は、お客さまが店を選ぶように、お店もお客さまを選ぶところでもあるんです」

お店と客のあいだには歴史があり、そこに信用・信頼という絆が築かれる。それぞれのお店

の雰囲気は、そこで働く人だけでなく、客と一体になって築くものなのだ。

四半世紀オーナーママ稼業を続けてきて、年齢的には微妙な時期を迎えている。

「最近、仲のいいママさんと話をしていると、『この子、私の子供なのよ。ずっと黙っていたけど』などと言われることがあるんです」

自分に、同じような子供がいてもおかしくない。時折自分が置いてけぼりにあってしまったような寂寥感に襲われることもある。

「人にはそれぞれこの世に生まれてきた役目、役割というようなものがあるような気がするんです。何か一つ自分に課せられた任務のようなものがあるのかなって」

銀座クラブママという仕事はその任務にほかならないのだと、言い聞かせているようだ。

「よく言われるんですよ。私のような商売をしていると、自由があるからいいじゃないって。でも、孤独じゃない自由なんてありませんから」

調理師や着付け師範の免許も取得した。習い事、ジム、ホットヨガ……意識的に毎日体を動かしてきた。今は愛猫と遊ぶのが何よりの楽しみ。そして午後4時を過ぎるとママの顔になる。

「今の時代のママたちは、ヘルプからはじまり、雇われママ、オーナーママといろいろな経験を積んできました。お付き合いしているママたちとは、このごろ素で話ができる関係になってきましたね。たとえばいいお客さまの見せ合い、お客さま自慢大会なんかして」

銀座の上客になるのに10年なら、ママは何年やれば本物の銀座クラブママになれるのだろうか。

突然、律子ママが話を転じた。

「昔クレージーキャッツが歌った〝そのうちなんとかなるだろう〟って歌が好きなんです」

青島幸男が作詞した『だまって俺について来い』の歌詞の一節である。

〽ぜにのないやつは俺んとこへこい
　俺もないけど心配すんな
　みろよ青い空白い雲
　そのうちなんとかなるだろう（笑い声）

「心が痛くてしょうがないときに歌って、聞くんです」

〝そのうちなんとかなるだろう〟というのは〝無責任な〟生き方ではない。生きる方向を自分の心と直感の声に従ってきた勇気を体現した生き方だったのではないか。

「死ぬまで青春ですから」

自由に、しなやかに、優美に自立した女性の笑みだった。

一流のホステスをみんなで育てていきたい

――クラブ「RUNDELL」立花らん

半世紀以上の歴史を刻むクラブの若き三代目ママ

いかなる商売であろうと、50年、100年と時代の変遷に対応して店（会社）を受け継いでいくことは、容易なことではない。銀座のクラブも同様である。

「売り家と唐様で書く三代目」という言葉がある。初代が苦労して残したものも三代目ともなると、商売をないがしろにして遊芸にふけり没落して家を売りに出すようになる。その売り家札の筆跡が唐様でしゃれていると、だめな三代目をどこまでも皮肉った言葉である。

銀座の高級クラブ「RUNDELL（ランデル）」は、半世紀以上の歴史を誇るクラブとし

クラブ「ランデル」の立花らんママ。50年もの
歴史を持つ老舗クラブを率いる、若きママだ。

て知られている。現在の立花らんママは三代目だが、〝だめな三代目〟とはまったく真逆である。老舗の店に恥じない堂々たる若きママである。背筋をすっと伸ばして、それでいながら身構えるわけでもなく聡明な受け答えをしてくれる様子からは、経験を重ねてきた円熟ママのごとき余裕すら漂う。

だが、この世界に入る前はごく普通のOLだった。

「クラブ勤めをはじめたきっかけですか？　ひと言でいえば、経済的な理由からです」

家のため、家族のために水商売の世界に足を踏み入れる。昨今見られる遊ぶためのお金を稼ぐためにちょっとナイト系のお仕事をという女性とは、覚悟が違っていた。

「夜の世界で働くなら銀座だと、思っていました。でも、家族のためなんだからと考えても、すべてを捨てて飛び込むフンギリがなかなかつきませんでした」

そこで、これまでどおりのOL生活を続けながら、週に3日ほどランデルに通い夜働くという生活を送っていた。その間、夜の銀座というものを肌で感じ取っていた。

「しばらく経って水商売のほうにやりがいを見いだし、専念しようと決意しました」

家族のためにというだけでなく、そこに自分自身の生きがい、仕事のやりがいを見いだしたとき、らんママの本当の覚悟が決まったのだ。

再び店に戻って来てクラブ〝ママ道〟を歩み出す

新しい生活に飛び込んだけれど、すべてが順調だったわけではなかった。夜の仕事は酔客をもてなす商売なのだからいいことばかりではない。嫌なこと、理不尽だと思うこともたくさん経験した。そうしたプロセスを辿らなければ、一人前のホステスにはなれない。

「ランデル」での仕事は、まず格式と伝統を誇るクラブというものがどういうものか、仕事を通して体で覚えることからはじまった。毎日が新鮮な発見だった。そして、戸惑いや後悔も数多く体験してきた。若さが可能性と未熟さの代名詞だとすれば、らんママも自らの未熟さと向き合う日々を過ごしてきたからこそ、ママになれたのだ。

そんな時代の印象に残っているエピソードを語ってくれた。善意でしたことが裏目に出てしまった失敗談である。

「その日は、大切なお客さまに喜んでいただこうと、サプライズを用意していたのですが、そのサプライズがお客さまの嫌いなことだったので、すっかりお客さまのご機嫌を損ねてしまったのです」

客に不快な思いをさせてしまったことに自分も深く傷ついたのだが、それ以上にショックだったのはその客のことをよく知っていると自負していた自分が、実は肝心なことを理解していなかったという事実を突きつけられたことだった。

(時間と労力をかけて、私はいったい何をしていたんだろう?)

ちょっと得意になっていた修業時代の日々の自問に答えは見つからなかったが、そのことがあって以降、常連客、馴染み客を理解すること、もてなすということに謙虚でなければならないと自省し、ずっと実践してきた。

やがてホステスの仕事に慣れてきたころ、同じ夜の銀座でも、ほかのお店はどんな様子、雰囲気なのか、女の子、客はどこがどう違うのか気になるようになった。これからも銀座で生きていくには、他店での経験を重ねることも必ず将来役立つと考えたのだ。

そして、らんママは「ランデル」からほかの店に移った。現在は、他店での〝武者修行〟を経て「ランデル」に再び戻ってきたということになる。

きっかけは「ランデル」のオーナーからの誘いだった。

「ありがたいことに三代目のママとして働いてほしいと声をかけていただきました」

「ランデル」時代の評判はもとより、ひと回りもふた回りも成長したらんママの姿を、オーナーは高く評価したのだろう。

「ママを任されたときから、自分なりのルールを決めて実践しています」

具体的ならんママ流のルールには、自身の体験が十二分に生かされている。自分のカラーを

高級クラブのイメージ通り、シックな店内。ゆったりと腰を落ち着けて飲んでみたい

ママだからと押し付けない、女の子もスタッフも主体性を持って、伸び伸びと楽しく働けるお店を目指す。

さらに、基本的な接客のマナー、エチケットは厳しく徹底させるが、客の満足を得るための努力は女の子、スタッフそれぞれの自主性、自発性に委ねる。ここには、ママ初心者の謙虚な姿勢がうかがえる。

女の子ひとりひとりの心身の様子に細やかに気を配り、お互いに助け合い、高め合いながらみんなで成長していくクラブを目指す。ここには、ひと時代前のママのカリスマ性でみんなをまとめていくタイプではなく、みんなが協力し合っていいお店にしていこうというらんママの強い意思がある。

らんママは、近ごろのホステスたちの生き方、心構えに危惧《きぐ》も抱いている。

「昔のホステスに比べて今の子は銀座のホステスとしての品格というものをあまり意識していないような気がします。SNSなどで心ない悪評が簡単に拡散してしまい、節度がないと気持ちが重くなることがあります」

客の中にも、女の子に「お店には言わなくていいよ」などと、ホステスとお店に内緒で一対一のつき合いをしようと、銀座ルールを無視した誘いをする男性もいる。

「最近、銀座の流儀をよくご理解していらっしゃらないお客さまが増えているようにも感じます。銀座は女の子を口説くために飲みに来る世界とは違う世界であることを、お客さまにも、女の子たちにも知っていただきたいと願っています」

そんな「らんママ流ルール」がひとつのカタチになった。

銀座クラブでの男と女の出会いの王道は、同伴にはじまり、お店がはけてアフターで締めくくられる。そのことをより切実に、でも、重く考えずに納得してもらいたいというらんママの「同伴」への想いが歌になったのだ。

ホステスたちのサポーターとして歌手デビュー

2018年、らんママは歌手活動をはじめた。銀座で働くホステスのために自分の経験を役立てたいという気持ちからの歌手デビューであった。

自作の歌である。歌詞の内容は、らんママの実体験に基づいている。

「私自身同伴は少しも苦にならず、むしろ楽しいことなんですが、女の子たちの中には同伴が楽しくなさそう、嫌だな、面倒くさいと思っている子もいます」

ほとんどのクラブでは、ホステスに一定の割合で同伴がノルマとして課せられる。ノルマとは強制的に割り当てた仕事の量ということで、あまりいいイメージを持っていない人が多いこ

『Do Han ～目眩く世界』（徳間ジャパン）

とだろう。

だが、ナンバーワンホステスやママになる女性たちは、同伴＝ノルマと短絡的に結び付けない。むしろ客との絆が深まる機会だと、ポジティブにとらえているのだ。

らんママも、そんな1人である。自分がそうだったように同伴を楽しんでいる子たちは、こんな気持ちで出かけて行くんじゃないかしら、そして、同伴が新しい発見にもつながるのよ、と伝えたくて、『Do Han～目眩く世界～』（作詞：立花らん、作曲：有明月夜）というタイトルのCDを発売したのだ。

実際に聴いてみると、同伴がいかに楽しいものであるか、同伴をネガティブな考え方からポジティブな考え方に変えてみようよというらんママの思いが、アップテンポにリズムに乗って伝わってくる。歌詞を紹介しよう。

夕方に待ち合わせ

今日は何着て行こうかな
ヘアセットも悩んじゃう
素敵なご飯　貴方と食べると何でも美味しい

さて、貴方は　楽しそうな顔してくれているかしら
このひと時は　私も特別なレディになる
貴方の為だけの私です

ゆっくりお酒を飲みましょう
愉しくお食事　そのあとは
シャンパン（シャンパン）　ワイン（ワイン）
チェイサーは水割りにして　なんちゃって

朝早くお迎え
まだ眠い時間だけど
ウエアを着たらスイッチオン

負けず嫌いの全力ゴルフ　夜まで体力持つかしら
さて、可愛く　笑えばすぐに　オッケーもらえるのかな
スポーツで学ぶ　正真正銘　愛情のマナーとルール
お手本は常に貴方です

たまにはお酒に呑まれましょう
気持ちよくなって　そしてまた
シャンパン（シャンパン）　ワイン（ワイン）
チェイサーは水割りにして　なんちゃって

休日、アフターもいいけれど　この時間だけは胸張って
貴方といられる　貴方が居てくれて輝くの

ゆっくりお酒を飲みましょう
たくさんお話し　そしてまた

シャンパン（シャンパン） ワイン（ワイン）
目眩く世界へ さぁ行こう「もう一本！」

一流クラブママやナンバーワンホステスは、本音をしまってある引き出しをいくつも持っている。その引き出しをひとつひとつ開けていくのも、クラブ遊びの楽しみではないだろうか。10人の常連客の本音を全部集めたら、もしかしたらママの本音の全体像がつかめるかもしれないけれど、常連客は自分だけが知っているママを他人に話すことはまずないであろう。だから、ママの実態は銀座から上がっても、永遠に謎のままと言っていいかもしれない。

常連客といえども、会うたびにママの新たな発見がある。らんママは、そんな気持ちにさせてくれる蠱惑的なママである。

「豊かさ」という言葉が好きです

「日本人としてのおもてなしの心があるのが、銀座のクラブです。身づくろいや仕草、言葉遣いなど目に見えるカタチのおもてなしはもちろんのこと、お店に来ていただいたことに感謝する気持ちこそ、おもてなしなのだということをとても大切にしています」

銀座クラブママは〝おもてなしの心〟という言葉を使うけれど、らんママの場合はさらに独特な表現へとつながっていく。

「私は〝豊かさ〟という言葉が好きです。語感からもポジティブでゆとりある生き方が感じられるからです」

豊かさには物心両面の豊かさがある。物の豊かさは周りの人々のことを考えない自己本位の生き方をしても得ることができるが、心の豊かさは知識や教養、遊び（趣味）などで自らを高めるだけでなく、周囲の人々に今日あることを感謝しながら生きる、日々のゆとりがなければほんとうにつかむことはできない。

「この仕事を続けていてよかったことは、生きているという確かな実感が得られることです。別の言葉でいえば、至福感ですね。人と人とのふれあいを通じて、自分自身に自信が持てるようになりました」

自分に自信が持てるようになると、さらに一段上の真心のこもったおもてなしができるようになる。

「そうした相乗効果が大事なんです。最高のおもてなしというのは、相乗効果から生まれてくるものなのでしょうね」

らんママは、現在《いま》は経済的な苦労とは無縁な生活をしている。それを可能にしてくれたお店とのすべてのオーナーをはじめ、女の子、スタッフ、そして客と自分の周囲の人々に、そしてその出会いをつくってくれた銀座に感謝しながら生きている。

クラブでのおもてなしの心は、豊かさに通じている。その豊かさは生きることの至福感へと、らんママの人生はひとつに結びついている。

クラブママという立場は、何でも知っていると思われている。らんママは自分をことさら飾ることも、大きく見せようともしない。ただ、理想のママ像に近づく演技、姿勢に嘘はつかない。

「女の子たちには、女優のようにいくつもの顔をもつようなホステスになりなさいといっています」

いくつもの顔をもつホステス。いくつもの引き出しを持つホステスになれば、仕事の楽しさも実感できるようになるということなのだろう。

だからこそ、女の子たちへのさりげない心配りも忘れることはない。

「一流のホステスになるためには、相応の同伴の場数を重ねることも必要になります。ですから、最近ではお客さまから同伴のご依頼の電話をいただくと、ほかの女の子につけてあげてくださいとご返事していています」

同伴を女の子に譲り、アフターはスタッフたちと飲みに行くらんママ。どちらかといえば、童顔に見える美しい笑顔の奥に秘めたらんママの心を、これまで鷲づかみするような男はいたのだろうか。かなりハードルは高そうである。

話をしていて強く感じられたのは、らんママは小さなことにこだわらないおおらかな性格だということだ。

「嘘をつくのが嫌いで、包み隠さずにいってしまう性格なんです」

それだけではない。物怖じしない、チャレンジ精神旺盛な女性でもある。

「私は新しいもの好きで、何事も経験したいタイプです。若い子たちには、自分の過去をありのままに見つめてもらいたいですね。失敗を含めて。そして、背伸びをしてあまり求めすぎずに……」

〝聖母マリア〟のようなママになりたい

らんママの話をじっくり聞いていると、克己の精神、つまり、ママとしての自分に打ち勝つというより(自分のこと以上に)、商売のママというステイタスを少しでも高めたいという思いが伝わってくる。

現在の、そして、これからのらんママについて聞いてみた。

「〝聖母マリア〟さまのようになりたいですね。お客さまにたくさんお店に来ていただいて、ふだん見せない顔を私の前では見せてくれる。『大丈夫だよ、みんな人間だから』と何でも許して包み込んであげられる存在になりたいですね。お客さまが心の重荷をしばし下ろして、甘えていただく。それを、受け止めてあげられるママをめざしています」

〝聖母マリア〟という言葉を、額面どおりそのまま受け取る人はおられないと思う。過酷な競争社会を生きぬいている男たちを癒しの心で優しく包む、その「母性」愛をらんママ流に表現した言葉なのだ。

「銀座のホステスのレベルが落ちたよね、といわれるのがとても悔しいんです。だから、一流のホステスをみんなで育てていきたいのです」

さらに取材を続けるつもりだったのだが、

「ごめんなさい、これからマナー講座がはじまるんです」

と、艶然とした笑みを残してスクっと立ち上がったらんママは、後ろ姿まで美しかった。

真面目であり続けなければいけない。潔く生きたい

――「くらぶ　藤」田川藤子

不二子ではなく藤子がいい

「人の転機の説明は、どうも何だか空々しい。……人は、いつも、こう考えたり、そう思ったりして行路を選んでいるものでは無いからだろう。多くの場合、人はいつのまにかちがう野原を歩いている」と、太宰治は書いた。

「くらぶ　藤」の藤子ママと話をしていて、この人は明確な目標に向かってというよりも「いつのまにかちがう野原を歩いている」女性だと直感した。

メーカー系の会社のＯＬ勤めを経験して、この世界に入った。28歳のときだった。

「くらぶ　藤」の田川藤子ママ。お店をもって10年。ぎらついた欲望とは無縁の夜の銀座をひたむきに生きるママ。

友人の連帯保証人になってしまった父親。友人の会社が倒産したことで、それまでの安定した生活が一変した。兄弟は3人いたのだが、頼りになるはずの兄は体の調子が悪くて働くことはできなかった。妹はすでに結婚して家を出ていた。とどのつまり、父親が背負わされた借金の返済は、藤子ママのか細い肩に重くのしかかってきたのである。

OLの給料には限界がある。それなりのお金を短期間で稼げる場所といえば、水商売であった。藤子ママは、初対面の私に人には言いたくないことまで話してくれた。

「銀座で働きはじめる前、実はソープランドの面接に行ったんです。でも、不採用でした」

外見上の容貌、容姿は申し分のない藤子ママである。なぜ採用されなかったのか。

「いきなり店長に目の前で裸になりなさいと言われたんです」

覚悟を決めて上半身裸身を晒した。だが、そこで藤子ママの手が止まった。どうしても下の下着まで取れなかったのだ。

お金を稼ぐためには、そんなことではだめだと思っても体が動いてくれなかった。店長は「素っ裸になれないような覚悟ではここで働くことはできない。帰りなさい」と言い放った。

仕事に就けなくても、父親がつくった負債は返さなければいけない。その現実から逃げるわけにはいかなかった。すぐに次なる行動に出た。「フロムエー」を購入して、銀座のクラブの面接にでかけた。むろん、藤子ママなら即決である。しばらくの間はクラブ勤めと、OLとの二足のわらじを履く生活を送った。

「『名前はどうする?』『本名でいいです』とこたえたんですが、本名で店に出ている女の子はいないとあきれられて。それで『ふじこ』という名前を付けてもらったんです。お店からは『ルパン3世』の峯不二子の『不二子』がいいんじゃないかといわれたんですが、私はあのキャラが好きではなかったので『藤子』にしてもらいました」

本名も教えてくれたが、ここでは内証にしておこう。

なんとなく藤子ママが拒絶した気持ちが理解できる。〝不二子〟はやはり似合わない。

その日、衝撃的なシーンを目撃してしまった

「OLの仕事に比べたらホステスの仕事なんて、と軽い気持ちで考えていたんです。無意識のうちにバカにしていたんですね。ところが、実際に仕事をしてみると、ホステスという仕事はなんてむずかしく、すごい仕事なのかと思い知らされました」

二足のわらじ生活を7ヵ月ほど続けて、本格的に夜の銀座の仕事一本の生活をはじめた。

まだ水割りのつくり方もろくに知らなかったある日、思いもかけない場面を目撃する。

「スタッフがお客さまのボトルの中身を洗面所に捨てていたんです」

驚いただけでなく、何ということをしているのかと訝る藤子ママに、

「係の女の子の指示だから」

と、スタッフはバツの悪そうに言い訳をした。

客のボトルが空になれば、またボトルを入れてもらえる。下劣な浅知恵である。そんな心がけのホステスだからヘルプ以上に出世できずに、ほどなくクビになった。

「あのときの光景は忘れません。そして、決して忘れてはいけないと心に誓いました」

自分のお店を持ったのは、30半ばだった。

その間、プライベート関係でもずいぶん苦労してきた。父親の借金返済のために自宅が競売にかけられ、住み慣れた家を失った。父親は逆境に立ち向かい、再起を図るどころか愛人のところへ行ってしまった。踏んだり蹴ったりの状況の中で、藤子ママは、オーナーママとしての人生を独りで歩きはじめたのだ。

お客さまに支えられてここまでやってこられた

藤子ママは常連客、お店の女の子たち、スタッフ、同業者との出会いの中から多くのことを学び、それを励みとしてきた。その中から2、3のエピソードを話してもらった。

「この仕事に入って最初についたH社長は、いろんな意味で私の恩人ですね。接待でいらっしゃって『きみは新人さんだね。がんばるんだよ。好きなものを飲みなさい』とお声をかけてくださったんですが、どんな話をしたのか、気を遣っていただいたことだけ覚えているんです」

新人のときに客から言われたことは、うれしかったこと、嫌なことにかかわらずその後のホステス人生に少なからず影響を与える。藤子ママは最良の客との出会いがあったようだ。

係が「Hさんでいいよね」と言ってくれて、いつもH社長の席に呼んでもらった。

「H社長はお店にお見えになっても、とくに自分のことをアピールするわけでもなく『ヘルプから売り上げがついたら貢献するよ』とおっしゃって、お店を変わるたびに必ず来てくださいました」

ヘルプのホステスはいくら客を接客しても係分の実入りにはならない。売り上げは係『その常連客の担当』のホステスについてしまう。

藤子ママはH社長にお礼の手紙を書いた。

「H社長にはお友達も紹介していただいて、お客さまが増えました。その方たちとのお付き合いは現在も続いています」

ママになってからは、Sさんがとても印象に残っている。

「ママです」と挨拶についた席で「おまえがこのクラブのママか。雑巾を絞ったような顔をし

ている な」と、いわれた。

「きつい言葉とは裏腹に、とても情の厚い、心から頼りがいのあるお客さまです」

男性が女性に対して独特の物言いをするときは、相手を気に入っているという感情の裏返しであることが多い。そして、時に毒舌は照れ隠しにも。

藤子ママはすぐにSさんはとことん気持ちの優しい人物だということがわかった。ささいなことでも、いつも親身になって相談に乗ってくれた。クラブ経営のやり方もいろいろきめ細かに教えてもらった。

「『おまえは経営者として甘い、優柔不断なところがある』とさんざんこき下ろされました。でも、その後から『おまえの取り柄はだれよりも真面目であることだ』と言っていただきました。そのとき初めて褒められたんです」

藤子ママは、先生に褒められた生徒のように素直な笑顔を浮かべた。

まるでタイプが異なるH社長とSさん。どちらも、藤子ママの応援団であることに変わりはない。むろん、ほかにも大勢の藤子ママ応援団がいる。

同業者である先輩のママのアドバイスに助けられたこともあった。

「自分のお店を持つと、妬みや嫉みからいろいろなことを言われるけれど、それをいちいち気にしてはダメよ。ひとつの勲章だと思いなさい」

あたたかな色合いの調度品に囲まれた店内。藤子ママのセンスが光る

それでも、藤子ママは傷つけられた。ネットに陰口が拡散した。〝あることないこと〟を書かれるのならまだ我慢もできるが、まったくの事実無根を書かれたこともあった。

だが、現在もクラブママを続けている。か細そうに見えても、藤子ママは芯が強い。歳月の経過が強さの年輪を重ねさせた。

藤子ママは自分のお店を持つまでに、5つのクラブを渡り歩いた。その間、雇われママも経験した。移り気、こらえ性がないというのではなく、生来の嘘をつけない性格が同輩を押しのけても強引に前に突き進む気持ちにさせなかったのだろう。

「今でも、自分は経営者には向いていないと思って（クラブママを）やっています」

弱音を吐いているわけではないと思った。

夜の銀座で日々の緊張感が失われて、惰性に流されない生き方ができているかと、今も自分と対話している気持ちの吐露なのだろう。

クラブ「藤」は、２０１９年、開店10周年を迎えた。そして、20周年に向けて凛とした歩みがはじまっている。

ママ失格？　お客さまのボトルの量を増やしたりして

銀座には、さまざまなクラブがあり、いろいろなタイプのママがいる。

若いママはベテランのママの背中を見て、ママとして成長していく、そのベテランママも若いころは年配のママの跡を追いかけてきたのだろう。そうやって、銀座クラブママは世代交代のバトンタッチをしながら続いてきた。藤子ママは、銀座クラブママはこうあるべきだ、こうありたいといったママ像を意識していないように見える。

「何よりも真面目であり続けなければいけないと思っています。そして、潔く生きたい」

自らお店の掃除をする。そして、この世界に入って受けた衝撃を今も忘れていない。藤子ママは、客のボトルを捨てたりしない。真逆のことをしてしまうのだ。

「ボトルの量をそっと増やしてあげるんです」

ボトルの主の笑顔を思い浮かべながらの藤子ママの秘密だ。

「同伴の女の子は8時半を過ぎたら遅刻なんですが、『食事はゆっくりしてきていいわよ。9時を過ぎなければ』などとつい言ってしまうんです。ボトルのこともそう。〝ママ失格〟ですね（笑）。でも、それでいいと思っています」

「神に問う。信頼は罪なりや」と、太宰治は書いた。本書の取材に入る前から、テレビドラマや映画などに登場してくる金欲と野心を着物で隠したようなステレオタイプ化されたクラブママとは異なる正直で、真面目な銀座クラブママがいてもいい、と思っていた。

そんな私の願いを叶えてくれたママが、目の前にいた。

銀座をずっと好きでいてください

——クラブ「櫻子」山本櫻子

銀座のことは銀座に来るまで知らなかった

だれしもモノや場所に強い愛着というものを持っている。他の人にはさほど興味関心のないものでも、その人にとっては特別なモノ、特別な場所がある。それは時を経ても色あせない人生の宝物となる。

愛着とは、辞書的に言えば「慣れ親しんだ物事に深く心を惹かれ、離れがたく感じること」と説明されている。

櫻子ママの愛着の拠り所は、銀座である。櫻子ママにとって銀座という街は、好きという感

クラブ「櫻子」山本櫻子ママ。大箱クラブの酸いも甘いもかみ分けて、ミニクラブを開店。
華を競い合う日々からひとつ突き抜けた、無手勝流の女剣士のごとき風情を醸し出す。

情をもっと深く、強く心に入りこませている場所のようなのだ。

だが、最初から銀座に離れがたい想いを抱いていたわけではなかった。

「OLをやりながら、ガールズバーでアルバイトしていたんです」

場所は銀座ではなかった。一人暮らしの生活を支えるための仕事だった。カウンターの中から、いろいろな男性の生態を垣間見てきた。

「銀座のことは銀座に来るまで知らなかったんです」

どうして銀座に来ることになったのか。

「アルバイト先のお客さまの中に、銀座で遊んでいる方がいてかわいがってもらったんです。その方からこの商売に手を染めたのなら、銀座を見ておいたほうがいいと薦められて」

そのときは水商売を本気でやる気はなかった。だが、

「いつかやるようになるよ」

と、その客は断言した。そして、まるで占い師のようにその客の予感は当たったのだ。

ミニクラブの共同経営を経て自分のお店をもつ

櫻子ママはそれからしばらくして、そのガールズバーを離れることになった。

新しい働き場所を見つけなければならなかったが、これといったコネも伝手もなかった。

「フロムエーを見て面接に行きました」

面接に行ったところは生演奏をしている銀座のお店だった。

「私は音大を卒業していたんで、自分に合うのではないかとホステスとして入店したんです」

初めて銀座の楽しさというものを味わった。

姐御肌に見られていたのだろう。年下の女の子がなついてくれた。

「このままこの仕事を続けていいものだろうかとか、お客さまとのお付き合いのこととかいろいろな相談に乗ってあげて、その女の子にとって最良の選択をするようにアドバイスしたりしていたんです」

ところが、善意でしていることが予期せぬ波紋を呼ぶことがある。

「あまりお店の女の子と仲良くしないでと店長から注意されたんです。私がお店を辞めるように仕向けていると思われてしまったんですね」

お店を辞めることが自分にとって最良の選択だと、判断した子もいたのだ。

その後、四十数年続いている老舗のクラブに移り、8年間勉強した。櫻子ママは、今度は何事も自分の責任で判断し、行動できる自分のお店を持とうと決心した。でも、1人でオーナーママをするのはきつかった。

「友だちと共同経営のお店を持ったんです。並木通りに7坪の小さなスナックでしたけれど」

共同経営は2年ほどしか続かなかった。現在は2人ともそれぞれお店を持って、当時のわだかまりを解消した大人の関係になっている。

お客さまに愛されるママはお客さまを愛するママになる

櫻子ママは、どこへ行っても客に恵まれ、愛されてきた。

銀座の客は厳しいけれど、優しい。

「開店に際しては50人のお客さまだけ来てくだされればといいという気持ちをこめて、手書きの手紙を書いたんです。そのときの数名の方とは、現在も家族ぐるみのお付き合いをさせていただいています」

櫻子ママの人柄が伝わってくる。

水商売の店は、大箱、中箱、小箱と店の大きさが分かれる。働く女性にもそれぞれ向き不向きがあるようだ。櫻子ママは、大箱、つまり大型店はあまり好みではなかった。

「現在のお店はアットホームの雰囲気を大切してやっています」

小さなお店だからアットホームな雰囲気を売り物にするのはわかる。だが、クラブ「櫻子」

重厚なバーカウンターが目を引く。天井ではシャンデリアが鮮やかに輝く

はそれだけではない。

「うちにお見えになるお客さまは、大箱クラブで遊び尽くしたお客さまが多いんです。もうお腹いっぱいだよという感じで、こじんまりしたお店を求めていらっしゃるようです」

クラブ「櫻子」は、そうした銀座遊びの通人たちのニーズにこたえているお店なのだ。ギラつかない、金にモノをいわせようとしない節度ある遊びを好む客たちが集う店である。

客に愛されるママは、銀座に大勢いるだろう。だが、客を心底愛するママがどれだけいるだろうか。客の顔が人柄の前に札束に見えてしまうママも少なくない。

客に愛される櫻子ママは、客を愛する櫻子ママなのだ。クラブ「櫻子」は、ママと客が相思相愛のクラブであることが大きな魅力となっている。

七転び八起きの笑顔だから人を包み込む

「七転び八起き」という言葉は、何度失敗してもくじけずに立ち上がって努力をするという意味だ。櫻子ママはまさに言葉どおり、何度も失敗して何度も立ち上がってきた。もう少し抽象的に言えば、浮き沈みの激しい人生を生きてきた。だが、そのことを決して売り物にはしない。

店を変わっても変わらずに飲みに来てくれる客もいれば、それっきり縁が切れてしまう客もいた。いちばん調子のいい客は、櫻子ママを決して見捨てないような情のあることを言っておきながら姿を見せない客である。

「『今度』と『お化け』は出たためしがありませんから」

櫻子ママは、このあたりの客の気持ちの揺れ動きには達観の境地にいる。

女の子とのふれあいも、いろいろなことを経験してきた。櫻子ママは自分に厳しく、そして女の子にも同じように厳しい。それは本物の優しさを知ったうえの厳しさである。

「ホステスのABCを教え込むのに1年。それでも信頼できる子に育つのは10年に1人といったところでしょうか」

以前よりも、ホステスが一人前になるのにハードルが高くなっているようである。

「お客さまに気を遣われて当たり前。してもらうのが当たり前、自分のほうが上にいる感じなんですね。これは水商売以前に、人間として問題があります。店の子たちには常々〝何かしてもらったら、1割返し〟ということを徹底しています。これは、以前勤めていたお店の大ママから教えていただいたことなんです」

クラブ「櫻子」では、女の子にノルマはかけていない。勤務時間は基本的には午後8時半から午前1時、終電上がりも可能な柔軟性のある勤務システムを採用している。

「同じ失敗を2度ならず3度したら辞めてもらいます」

2度、3度と同じ過ちを繰り返すのは、反省の心がないからだ。自分にも人にも完璧は求めないが、話を聞く心をもたない人間には厳しいのである。

「忘れていけないことは、お客さまはワガママなものだということです。だれもが自分が一番、特別扱いをしてほしいと思っていらっしゃいます」

対応の仕方次第で顧客とホステスとの関係がこじれてしまうようなシーンも、スマートにいなしてしまう櫻子ママなのである。

そういう櫻子ママには特技がある。興に乗ってくると披露してくれるそうだ。

「チーママとピンクレディの完コピをするんです。歌だけでなく振り付けもすべて完コピなんですよ。それが噂を呼んで地方興行に出かけたこともあるんです。その様子は地元の新聞にも掲載されてしまいました（笑）」

夜の銀座のエンターテイメントを磨く努力を、決して惜しまないのである。

お客さまと溶け合いひとつになる、人生の通過点

大箱卒業組の年配者が集うお店と言ったが、もちろん若い客もいる。若い人は話をして飲むだけでなく、カラオケを歌いたがる。だが、だれもがカラオケを歓迎するわけではない。

「そんなときはお隣のお店を貸し切りにして、若い人たちに思う存分カラオケを楽しんでもらうこともあります」

櫻子ママは、ご近所のお店と良好な関係をつくっている。

「今の若い人たちは上司に誘われてもうれしくないんですね。スマホばかりいじって、生のおつき合いが苦手なんでしょうか」

かつては銀座に飲みに行くことがご褒美だった。いい仕事をして会社に貢献したら、クラブへ、そんな光景があちらのクラブ、こちらのクラブでも見られたのだ。

「若くても銀座遊びを学びたいという人を応援したいですね。銀座で遊んでいる人には、ずっ

と銀座を好きでいてくださいと」

櫻子ママの銀座への愛着は、この言葉に凝縮されている。

「銀座は生活の一部、自分の一部ですね。今はストレスもありません。夜の銀座でお客さまと気持ちが溶けあいひとつになる。そんな人生の通過点を結びながら生きてきました。今では辛かったことも、楽しい思い出になっています」

いつも1人だけ先に出勤し、お店の掃除から客を迎え入れる準備を怠らない。店内のすべてに目が届くスペースの店が、櫻子ママにはお似合いのようだ。

「ふだんからいろいろきついこと、厳しいことを言っていますが、女の子たちはみんなかわいいし、感謝しています」

女の子の出勤を待つつかの間の時間、櫻子ママは何を考えているのだろうか。お店だけが、櫻子ママの本音を聞いてきた。

この小さなお城には、あふれるほどの櫻子ママの想いが詰められている。

クラブホステスあれこれ――ブレイクその1

●係のホステスとヘルプ

銀座高級クラブは、基本的に「一見さんお断り」「紹介制」「会員制」なので、客には「係(大阪北新地は口座)」と呼ばれる担当のホステスがつく。原則係のホステスは「永久指名制度」で変更できない。係のホステスはまず自動的に決められてしまう。客の飲食代金は係(担当)の売り上げとして計上される。

係のサポート、補佐役のホステスはヘルプホステス。ヘルプのホステスがついて客が使った分の売り上げは、係のものとなる。自分が担当する客を1人ももっていないヘルプは「ゼロヘルプ」と呼ばれ、一部の例外を除いて銀座クラブの女の子はここからスタートして、ナンバーワンホステス、オーナーママへと出世していく。

●ホステスの給料システムはスライド制

ホステスは、ひとりひとり個人事業主である。給料システムは、売り上げに対するバックのある「スライド制」になっている。一般的には自分の売り上げた「小計」に対して10万円ごとに2000円の歩合給が支給される。また、実績のあるホステスがお店を移る場合、売り上げを約束する「打ち込み（約定）」を交わすことによって、好条件の取引をする。打ち込みが届かなかった場合は、スライドのバイの金額が日給から差し引かれることになるのだが……。

小計には、タイム・チャージ、オール・チャージ、ボーイ・チャージ、ホステス・チャージ、タイム・テーブル・チャージ、サービスチャージなどてんこ盛りのチャージがつく。ちなみに係以外のホステスがついても、人数分のホステス・チャージを取られるようなことはない。

具体的なホステスの収入は、

保証日給＋売り上げスライド＋ＨＣ（本指名バック）＋残業代＋賞金

保証日給は容貌容姿や出勤日数、経験等によって査定される。

●ナンバーワンホステスもいろいろ

ナンバーワンホステスは、お店の中で１ヵ月の売上がいちばん多いホステスのことである。ナンバーワン自体にそれほど価値があるわけではない。実力でのし上がったナンバーワンがいる一方で、たまたまナンバーワンになってしまったホステスもいるからだ。努力して勝ち取ったナンバーワンと、実力が伴わないナンバーワンとでは、天と地ほどの違いがある。

たとえば、ナンバーワンの馴染客が一度に5人来店したとしよう。私の客なのだから、席を空けなさいと言わんばかりの傲慢さを見せるナンバーワンがいれば、カウンターに5人の客に座ってもらい、自分は立ったまま順に接客し、一人も怒らせなかったナンバーワンもいる。

クラブママの言。

「本当の意味でナンバーワンホステスといえるのは、同僚と協力し、店のスタッフとの信頼関係も築けていて売り上げが目標を達成している人です。本当に大切なのは、順番じゃないんです。自分が一生懸命に働いたご褒美に、たまたま順番がついているだけです」

本物のナンバーワンホステスは、顧客の名前、会社名、役職名はもとよりお酒の飲み方、好み、おつまみの好き嫌いまで暗記し、水割りならお酒とお水の割合まで熟知しており、客の服装、持ち物について、的確な値踏みができる。ただし、知ったかぶりはしない。そして、客が「また来よう」という気持ちにさせるお見送りができる。

クラブママの言。

「ナンバーワンというのは孤独なものなんです。その孤独に耐えられなくては、ナンバーワンホステスは維持できません」

頭一つ抜け出ると、たちまち妬みの対象になり、陰口をたたかれる。だから、ナンバーワンを維持するためには精神的なタフネスが必要になる。夜の銀座は嫉妬の街でもあるのだから。

ナンバーワンを競っていると、とかく客の数だけを気にするようになる。だが、賢いナンバーワンホステスは、客自身もナンバーワンの客であるという誇りを持っていることに気がついている。そこに気がつけば、客同士が助けてくれることにもなる。

●ホステスはつらいよ「売掛回収」

銀座クラブの客は、ほとんどが身許が確かだから、ツケで飲むことが多い。常連客、馴染客が増えてくると、ツケの回収や立て替えが多くなる。客がツケを支払わなければ、ホステスは給料から天引きされ、それでも足りない場合は、お店から借金することになる。

現行民法では、ツケ（飲食代）の消滅時効は1年と客側に有利であったが、改正民法により2020年4月より原則5年に延長されるようだ。

「バンス」というのは前借りという意味で用いられるが、売掛金の清算を肩代わりすることもバンスという。

たとえば未回収の売掛金を残したまま他店に移るときに、移ったお店がその分のお金を支払うこともバンスという。そのお金はホステスの借金として働いて返さなければならない。かくして華やかなナンバーワンホステスが、実は借金もナンバーワンだという笑えない事情もあるのだ。江戸時代の吉原の花魁を彷彿とさせるようである。

若いスタッフがやりがいをもって働ける街に

——クラブ「華壇 銀座」 居村友起

夜の銀座は女の街であると同時に男の街でもある

夜の銀座で客を迎える男性スタッフたちを、総じて〝黒服〟と呼ぶ。黒服には、高級クラブママやホステスたちを支える管理職（幹部）からボーイまでさまざまなスタッフが含まれる。クラブの主役はいうまでもなく、お店のママでありホステスである。だが、どんな芝居や映画も、主役たちを支えてくれる、あるいは引き立ててくれる脇役がいなければ、上質なドラマにはならない。すぐれた脇役が、実は主役たちに輝きを与えているのだ。

黒服の仕事（業務）は実に多彩であり、一流の黒服になるほど高い専門性が求められる。

四国松山から銀座に進出してきた、クラブ『華壇　銀座』。店を任される若きリーダー・居村社長に、クラブを支える重要な男性スタッフ〝黒服〟について語ってもらった。

店内の清掃、ミネラルウォーター、グラス、コースターなどのテーブルセッティング、おしぼりの準備にはじまり、ホステスの出勤確認、ドリンク、ボトル、フード等の配膳とテーブルの片付け……。さらに、来店客の応対、細かくいえば荷物やコートなどの預かり管理、客の電話対応、テーブルへのエスコートも含まれる。

松山から銀座に出てきて居村社長が最初に感じたことは、地方都市と東京の中心で遊んでいる客の違いであった。お金の使い方は変わらなくても、飲み方が違っていた。

たとえば「社長を呼べ」という客が来店して、経済の話をはじめる。この店の社長、店長はどれほどの知識、見識の持ち主かを試すわけである。

「やはり、グローバルなビジネスをリアルタイムで展開している企業の方が大勢いらっしゃるからでしょうか。こちらも会話についていけるだけの勉強をしていなければいけません」

男性スタッフの力量が試されるのは、日本経済、世界経済、国際情勢といった大きなテーマばかりではない。

「私はプライベートではお酒は飲まないんですよ。ですから、お酒の種類についてはあまり詳しくありませんでした」

お酒のウンチク話を酒席の肴にする客もいる。そこで、居村社長はお酒についてもしっかり勉強した。だからといって、知識をひけらかす軽薄さは見せない。

「商談、同伴などで利用される食事処なども、お客さまの行かれたお店はちゃんとチェックして、どんなお店か話ができるようにもしています」

そのほか他愛もない会話の受け答えからも、粋な客にはこちらのノリの善し悪しを見抜かれてしまう。一流の客に毎夜試されてきた居村社長は、どこまでもさりげなく自然体での接客を実践している。

愛媛県から銀座に進出してきたクラブ

銀座クラブ史を振り返れば、昭和30年代半ばころまでは、カリスマ性を秘めた銀座マダムが客を呼び集めていたが、それ以降、クラブ経営に企業資本が参入するようになり、銀座クラブはひとつの転換期を迎えた。現在は、オーナーママの経営するクラブと、企業資本が経営するクラブが共存している。現在の企業資本の参入によるクラブ経営には、都内の企業だけでなく地方都市からの銀座進出も少なくない。

クラブ「華壇銀座」は、愛媛県松山を中心に多数の店舗展開をしているシー・アンド・シー(C&C)グループの旗艦店として2011年に銀座に出店したクラブである。系列店としてクラブ「キャビン」、クラブ「モントレイ」を相次いでオープンさせた。

企業資本が参入しているクラブは、関西をはじめ西からの進出が多いようである。

クラブ「華壇 銀座」の居村友起社長は、銀座進出の際に黒服から社長に抜擢され、お店の経営を任された。30歳になった年だった。

「本音をいえば、今さら東京かと、最初はあまり乗り気ではなかったです」

居村社長は、銀座進出の店を任されたときの思いを振り返る。

C&Cグループは、愛媛県ですでに揺るぎない地歩を築いていた。だが、より大きな飛躍を目指すナイト系の商売をしている地方企業にとって、銀座はまさに聖地であった。果敢なる新領域、新分野への挑戦は企業経営にとって、欠かせない要件である。

会社の提案に当初消極的だった居村社長だが、すぐに思い直した。

「個人的にも年齢的にひとつの区切りを迎えたときでしたから、自分の力を試してみるのもいいかなと」

居村社長のクラブ経営のベースにあるのは、黒服体験から学んだことであった。抽象的な企業経営論や経営者論の前に、黒服としてママをはじめ多くのホステスたちにかかわってきた日々の手ごたえから学んだものこそ、何よりも自信につながるものであった。

「新しいお店を任されて、最初に直面した課題は、お客さまをどうつくるか、そのお客さまにどう女性（ホステス）をつけるかということでした。お客さまの女性の好みを見極めて、ホス

『華壇 銀座』の店内。豪華に活けられた鮮やかな花々が目を楽しませてくれる

テスのつけ回しをすることが重要です」

テレビドラマなどでクラブのシーンが出てくると、ホステスたちが勝手にお客さまにすり寄っていったり、好みのお客さまの席に座って接客したりしている姿が見られるが、高級クラブではそんなことはない。高級クラブには高級クラブのしきたり（ルール）がある。

一流クラブでは、お店のルールに基づいたフォーメーション（ホステスの配置、分担）によって接客する、いわばチームプレイ（組織的もてなし）が行われているのである。

そのとき、重要な役割を担っているのが、黒服である。

「黒服は統率のとれた上下関係が歴然としている厳しい世界で生きています」

黒服がしっかりしている店は、居心地がいいのは言うまでもない。あたかもホステスたちが自由に振る舞っているように見せるところに一流の黒服の手腕が発揮されるのだ。

高級クラブには本物の黒服がいる

ホステスは、ピンキリである。ナイトワークの主役としてプロ意識とプライドを持ったホステスがいる一方で、ただお金さえ稼げればいいというホステスもいる。実力で勝ち取った本物のナンバーワンがいる一方で、勢いでナンバーワンになったホステスがいる。

舞い上がってしまったり、大物ぶって見栄を張ったりしている銀座クラブ初心者には、この見極めがなかなかつきにくい。

そして、ホステス以上にも見極めがむずかしいのが、黒服である。本物の黒服がわかれば、銀座クラブ遊びも本物になったといえるのではないだろうか。

ある高級クラブママの言。

「若いうちからスタッフ（黒服）に好かれると、意外なところで助けてもらえるんです。ベタベタ触ってくるお客さまがいるときなどには『電話ですよ』などと耳打ちしてくれて、別の席に移してくれます。自分が席についていて、大事なお客さまが後から来てくれたときは、ほかの女の子をつけてもらえます」

女の子をどの席につけるかは、スタッフ（黒服）次第なのである。大げさに言えば、ホステスの生殺与奪権は黒服が牛耳っているといってもいい。

「スタッフに好かれているホステスは、上客の席につけてもらえる機会が増えます」

と、某クラブママが話してくれた。

「ママになってからは、スタッフの男の子たちに嫌われないように気を配ったわ。スタッフに当たらない、怒らないようにしている。どうしても怒らなければならないときは、相手の立場、相手の気持ちを考えて、愛情を持って接するように心がけています」

そう語ってくれたクラブママの言を、居村社長が裏づけてくれた。

「本物のナンバーワンホステスはもとよりちゃんとした女の子たちは、黒服に絶対当たらない、バカにしない、見下しませんね」

居村社長の視線は、さりげなく全方位に向けられている。スタッフの服装、言葉遣い、ホステスのサポートの様子、ホステスの接客態度、お客さまの振る舞い、お店への出入り……勤務中は気の休まるときはない。

建て前だけでうまくいく世界ではない。ホステスとぶつかるときもある。ママと意見が衝突することもある。そんなときも、感情的にならずに冷静に対応できるようになるには相応の経験と時間が必要になる。

「平社員のころからホステスとはケンカしてはいけないと自分を戒めていましたし、現在は部下たちに言い聞かせています。大事なことは双方の気持ちを尊重し合い歩み寄ることです。こちらが熱くなっても、いいことはまったくありません」

とにかく話し方も態度も優しく接すること。それができるかどうかは、人間としての器を量るバロメーターにもなるというわけだ。

「お店の運営も、ホステスとのコミュニケーションも、自分ひとりだけでは無理です。みんなの協力があってはじめて可能になります」

本来銀座のクラブは、感謝や情によって動いていく世界である。ところが、お店も、ママも、黒服も、ホステスも、客も、お互いの成長を見守ってあげられる余裕がなくなっている状況の中で、利益が優先されて思いだけが空回りしてしまうこともある。あるところで割り切らなければならないことが、昔以上に増えているのではないだろうか。

それでも、居村社長の表情には翳《かげ》りは見られない。

「地元の女性（ホステス）が銀座の店にもいます。彼女は最初ヘルプだったのですが、志が高いので自分がどうやって成長していけるか、そのための方法を真面目に求めてきます。話をして、仕事ぶりを見ていると、黒服が大事だということをよく理解していて、黒服の動きをよく見ています。負けず嫌いなところがありますが、アドバイスをきちんと聞くんです」

プロ意識の高いホステスは無駄な時間を過ごさない。

「自分の担当のお客さまではないお客さまにも、一生懸命に協力してあげる子なんです」

昔は、黒服を育てるということも、ママや売れっ子ホステスの仕事のひとつだった。そして、一人前になった黒服は、今度は新人のホステスを育てる。その好循環が、現在の銀座クラブにおいて順調に機能しているとは言い切れない。

「男性が働く場所として水商売のよさは、他の業界より若くして評価されるということでしょうか。目に見える売り上げというカタチで実力が明らかになりますから」

水商売に職を求める男性は、お店でいい客と出会い、引き抜いてもらう機会を待つタイプと、夜の世界で一生懸命努力して、出世していく2通りのタイプがいるそうだ。どちらの道を選択しようとも、心しておかなければならないことがあると、居村社長は語る。

「(相手から)欲しがられる人間にならないといけません。どんな仕事に就こうと、接客業の基本を身に着けておくことはとても大切なことです」

ホステスは売れれば売れるほど黒服に助けられる

行け行けドンドンだったバブル期に企業を取材していたころ、営業部門の中には総務部や人事部などバックオフィスの社員たちを「おれたちの稼ぎで食べさせてやっているんだ」という心得違いの特権意識を持った社員がいた。

同様にホステスの中にも「私が稼いだ金で給料をもらっているくせに」と、接客中でも黒服を見下す女性もいる。こういうホステスは、チームワークで成り立つ仕事だということを少しも理解できずに、やがて消えていくことになる。

女の子たちのあいだには嫉妬がある。「どうしてあの子なの」といった思いを口に出す女の子もいれば、妬みを溜めこんでしまう女の子もいる。

「女の子はひとりひとり違いますから、平等ということはありえません。やんわりと『こういうところを直せば、きみはぐっとよくなるよ』などと日ごろから女の子と話し合うことが大事ですね。百点満点ということはありませんから、70~80点をめざしています」

黒服の立場から見た客への要望も聞いてみた。

「お酒はスマートに飲むのが大人の飲み方です。自分の要求ばかりを押し付けて、そのことに少しも気づかずにいるお客さまも時折見受けます。ワガママをいわないで、お店での出会いを一期一会の時間として慈しんでほしいですね」

最後に銀座への思いを聞いた。

「時代に即した店づくりを考えています。具体的に説明するのはまだむずかしいんですけれど、店づくりを通して銀座を若いスタッフが働ける街にしたいと考えています」

居村社長に、存在するだけで価値のある円熟味が増してくるのはこれからだろう。四国松山から東京銀座へ、多くの経験を積み重ね、うれしいことも、しんどいこともわが身でしっかり受け止めてきた謙虚な自信が漂う。

「一期一会ということを大切にしています。自分のお客さまをもつこと。(お客さまと)会った日が勝負だと思っています」

居村社長のまなざしは、しっかりと明日の銀座を見つめている。

銀座のクラブの遊び方――ブレイクその2

本書を読んで、銀座のクラブに興味を持たれた方もおられるかもしれない。

だが、銀座のクラブは少々ハードルが高いのは事実。遊ぶにはそれなりの事前知識が求められる。ここでは銀座クラブの基本的なシステムと注意点についておおざっぱに解説しよう。

●料金について

銀座クラブビギナーが頭を悩ませるのが、料金である。

よく「銀座のクラブはお座りうん万円」などと言われる。それは本当なのか。

たしかに高級店の中にはそういう店もあるが、最近は銀座のクラブも多様化しており、都内の繁華街にあるキャバクラとそう変わらない料金で飲ませる店も増えている。銀座クラブといえば「時間制限なし（初回のセット料金で開店から閉店まで飲むことができる。銀座のクラブは夜8時から12時までの4時間営業が一般的）」という店が多かったが、最近では60分1万円程度の料金で飲ませる店もある。

時間無制限、時間制のいずれの店でも、まずセット料金（ファーストセットとも）というものがかかる。

これは、いわば席料のようなもので、サービスチャージやボーイチャージなど、銀座のクラブ特有の各種チャージも含まれる（これらチャージがセット料金とは別に設けられている店もある）。金額は1時間1万円というところもあれば、3万円を超えるところもある。一般的に言って、3万5000円を超えると、いわゆる高級店の部類に入るとされている。

このセット料金はあくまで基本料金であり、飲食代は別になる。また、ホステスを指名したり、同伴したりするとそれぞれチャージがかかる（数千円程度）ので、それらの料金も念頭に入れておく必要がある。ちなみに店によっては、初回はボトル（1本数万円）の購入が必須という店もあるので留意しておきたい。

さて、楽しく飲んだらお会計だ。前述したセット料金に、ホステスチャージなどの追加料金、ボトル代などの飲食代を合計したものに、数十パーセントのサービス税を加算したものが最終的な支払金額になる。

セット料金3万円超の高級店でざっと計算してみると、総額は約10万円。伝説は本当だったということになる。

ちなみに銀座の高級クラブは、基本的には会員制で紹介がないと入店することはできない。

どうしても遊んでみたいという方は、まずは身近に〝銀座の客〟がいないか探してみるのが近道だろう。

●服装について

銀座クラブに飲みに行くとなれば、まず気になるのが身づくろいであろう。

初級者はスーツ、ネクタイ、靴、時計など上から下まで高価なものを身につけていけば安くみられないと思いがちである。

だが、銀座クラブママやホステスは、高いものを見慣れている。精一杯背伸びをしても、「ステキですね」とお世辞を言ってくれるのが関の山だ。クラブで遊ぶ一流の男たちは、高級ブランド物を身につけていても、これ見よがしに見せつけたりしない。

洋服や装飾品にお金をかけるよりも、心がけたいのは清潔感を保つことである。

意外な落とし穴がヘアである。ヘアスタイルにも清潔感を。高価なスーツはお金を出せば買えるが、清潔感は日々の自己管理ができていなければ保つことはできない。

●女の子を見下してはいけない

ホステスたちは客が思っている以上に敏感である。言葉に出さずとも、態度、雰囲気から客が自分たちをどう見ているかを感じ取る。クラブに限らず女性を見下す男性は評価が低くなる。女性の前で偉そうにふるまう男性は、実は自分に自信がないこと、仕事や家庭、恋愛などがうまくいっていないことが見透かされているのだということを覚えておこう。

●きれいで粋な飲み方を覚えよう

銀座クラブママは異口同音に「クラブは女の子を口説く場所ではない」と語る。たくさんお金を落とせば、女の子にモテると考えるのは大きな勘違いである。クラブは、疑似恋愛と承知で本物の恋愛のごとく楽しむ大人の遊び場であることを心得ておきたい。

男の品定めのプロである銀座クラブママやホステスが見ているのが、飲み方である。きれいで粋な飲み方ができる男は、例外なく好感度が高い。きれいで粋な飲み方とは、要はお金の使い方、店での滞在時間、周囲への気配りにあらわれる。とくにお金の使い方には無意識に人間性があらわれてしまうので要注意だ。

粋な飲み方ができる客は、ママやホステスを独占しない。好きなホステスとそうでもないホステスの扱いに差をつけない。高いお金を払ったのだからと、支払いが終わっても未練がましく長尻をしない。さっと飲んで、さっと切り上げるのが粋な飲み方なのだ。

実際の銀座は『黒革の手帖』よりもっと魑魅魍魎

――クラブ「りぼん」市川良一

銀座は変わっていない。お客さまの質も変わりはない

クラブ「りぼん」のオーナーをはじめ多くの肩書を持つ市川良一さんは、文字どおり銀座の裏も表も知り尽くしている。夜の銀座で生きるクラブの女性を主人公にしたテレビドラマの制作にあたって、局の人間がアドバイスを受けにくるほどの銀座通である。

「53年、銀座で商売しているけれど、銀座は変わっていないし、お客さまの質も変わりがない。銀座で飲むお客さまの大半は、銀座の会社で働いて、銀座で稼いだお金で、銀座で遊ぶ。馴染のお客さまが接待客や部下を連れてクラブに飲みに来る。接待客や出世した部下が新しいお客

政財界の要人も訪れるクラブ「りぼん」。オーナーをつとめる
市川良一さんは「夜の銀座」の厳しさを教えてくれた。

さまを連れてきてくれる。その系列はずっとつながってきたんです。今もつながっています」

多くの人が銀座は変わったというが、確かに銀座ならではの〝システムの系列〟は変わっていないのだろう。

銀座は奥の深い場所である。ひと言で表現するのは容易なことではない。否、できないだろう。表層的な情報ばかりが浮上して、銀座クラブの実態はなかなか見えてこない。まるで底の見えない水中をもがくようである。

「銀座で自分のお金でお店を持っているママはほとんどいません。高級クラブといわれているクラブで10人といないんじゃないですか」

銀座クラブママの取材は敷居が高いともらしたこちらの感慨に、市川さんはそうこたえて続けてくれた。

「スポンサーのお金で店をやっているから、ママが自分の一存でその場で取材の是非を決められないんですよ。見えない利害関係が複雑に絡みあっていますから」

実際の経営は、姿を現さないスポンサーが肩代わりしてやっている。ママはお店の広告塔のような立場なのかもしれない。そんな店が、銀座には多いそうだ。

銀座はお金が回るところ、銀座は儲かるところ

世の中はお金（経済）を中心に回っている。いつの世も、お金の匂いのするところに人が集まる。人が集まれば、お金も集まる。そして、さらに大きなお金が回っていく。金を追いかければ、大儲けをする者がいる一方で、大損をする者がいる。資本主義社会の不変の鉄則である。

「銀座はお金が回るところですから、当然、どこよりも儲かるところなんです」

だから、金を持っている企業や個人の関心が「夜の銀座」にも集まる。

「企業グループがクラブ経営をしていますから、個人スポンサーのお店や資本規模で劣るところは最終的には組織力にはかなわないということになります。生き残れるのはコツコツとやっている個人のお店です」

企業グループの経営はどこまでもドライである。情などに足をすくわれることもなく、どこまでも利益優先の経営をする。

「企業グループは特別に銀座への思い入れがあるわけではないので、儲からないと判断したら、サッサと身を引いてしまいます。成功例として数えられる企業グループはわずかしかありません。代表的な成功例を挙げれば、たとえば瀬里奈グループでしょうか。ＵＣＣコーヒーなど昼間の企業も銀座クラブ経営に進出しましたが撤退しています」

それでは趣味でお店をやっている〝粋人〟はいないのだろうか。

「遊んでいて、お店を持って儲けている身分のオーナーは1％ほどしかいないんじゃないんでしょうか」

そんなオーナーに出会うのは、干し草の山から針を探すようなものかもしれない。

「銀座の成功者はビルを持つ人が多いんです。自分で商売をするよりも家主になって、家賃収入で食べているということです」

銀座は争いごとの場所、生き馬の目を抜く場所

「銀座というところは生き馬の目を抜く場所です。だから、商売が成功してもふんぞり返って経営者面《づら》をしてはダメなんです。すぐに足元をすくわれます」

銀座に限らず、ビジネスにかかわるすべての人間へ言えることではないだろうか。

「たとえばクラブのボーイから働きはじめて、出世してもボーイのときの気持ちを忘れてはいけない、そうした心がけが大切なんです。成功した人たちの多くがリーマンショックのときに店を撤退しました。ある意味、自己責任というところもありますね」

当時の夜の銀座を跋扈していた外資系、IT業者、不動産などの客の足が遠のいた。ひと晩で100万～300万円といったお金を使う客がパッタリ来なくなった。

ある日、突然店がつぶれて社長の行方がわからなくなった。給料がもらえなくなった女の子やスタッフたちは、ただ右往左往するばかり。あるいは銀座を転々とすることになった。確かにそんな話がリーマンショックのときには銀座を駆け巡った。

水商売の経営はとくに景気の変動に敏感だが、景気動向を経済アナリストのごとく的確に読めたとしても、銀座で成功すると保証されるわけではない。

「地方から出て来て、銀座でお店をやっているところもありますが、基本的には銀座という場所を知らずに商売をしても儲かりません」

失敗の要因は、銀座村の人々とのコミュニケーション、ポーター（232ページ参照）や客引きとの情のふれあいの時間と密度に差があるからなのだ。銀座で生きる人間たちは、何よりも心、情を大切にして動く。資本力や経営手腕の巧拙だけではなく、銀座という街に溶け込まなければやっていけないということなのだろう。

「警察の目をくぐってやっている詐欺師の集まるような店もあります。銀座にはグレーの場所もあるということです」

銀座の暗部についての市川さんの証言は、まだまだ続いた。

「銀座は争いごとの場所でもあります。脅かすわけじゃありませんが、争いで亡くなった人もいます。極論すれば今営業をしている店は、成功したのではなく、生き残っているだけです。

責任の取りようもないところは命で取るしかありませんから。いちばん怖いのはやはりお金のトラブルですね。実際の銀座クラブは小説やテレビドラマよりもっと魑魅魍魎で、ドロドロしていますよ」

銀座を知り尽くした男の極めつけのひと言。

「夜の銀座は男と女の世界です。男と女の世界の最後は命取りです」

ずっと続いているお客さまは、続けて使ってくれる

「確かに時代によって、メインのお客さまの業界に移り変わりはあります。一時ＩＴ関係の仕事で儲けた社長たちが銀座のクラブで豪遊しましたが、長続きしませんでしたね。対照的に昔から使っていただいている商社関係の人はずっと続いています。結局、何かでひと山当てたお客さまの銀座遊びは、長続きしないということです」

いわば浮利で得たお金は、はかなく消え去ってしまうということか。

「自分で気に入った店には通うものです。ずっと続いているお客さまは続けて来てくれています。会社の交際費で使っていただいたお客さまの中には、リタイアして年金で飲みに来てくださる方もいらっしゃいます。飲み代の５万円が１万円になっても来てくださる、いいお客さま

です。お店側にお客さまも、やっぱり〝義理と人情〟を持っているというところでしょうか」

そして、市川さんはズバリ言い切った。

「交際費は、無駄に使ってこそ価値があります」

大物政治家の中にも、クラブ遊びが盛んな大臣がいる。彼らは内々で遊ぶクラブに通っている。世間にあまり知られることもない。

「銀座という場所は、逢えない人に逢える場所でもあるんです」

市川さんが経営しているクラブ「りぼん」は、約20年続いている老舗クラブである。貸し切りで、時の政府の政策立案者たちのミーティングが行われたりもすることもある。

この事実は、ひと言でいえば、店にどんな客が来ているか、そして、どんな会話が交わされたかということが決して外部にもれない信頼できるクラブであるということである。

ちょっと横道にそれる。銀座で店を出そうとする企業、個人に耳よりのアドバイスを。それは、市川さんも実践した資金不足で、スポンサーもいない場合でも店を出せる方法である。

「開店の案内状を郵送する際に、お客さまには3か月間は現金で飲んでいただくことをお願いしたんです」

銀座クラブで飲むときは、飲み代は基本的には交際費の売り掛けになる。それでは現金化されるまでに時間がかかり、経営が厳しくなってしまう。3か月間、客に現金で飲んでもらえば

ブラックやレッドなどシックな色使いの「りぼん」の店内

そのお金を経費に有効活用できることになる。店の経営が軌道に乗ったならば、後日客たちには現金で支払った分を交際費として会社に請求してもらうのだ。

最後にこれからの銀座について聞いてみた。

「どんなに苦しくとも、店を閉めるつもりはありません。私は、銀座のことしかわからない。ここ銀座で生きていく。生きていく道はここ、これしかありません」

評論家然とした安易な希望論も、悲観論も口にしない。銀座の現実《いま》をそのままにしっかり見据えている。

そして、市川さんはこうつぶやいた。

「(銀座で)あまりにもいろいろなことを見過ぎてしまいました」

その声音に、深い余韻が残った。

【第二部】重厚、瀟洒、格式を重んじる銀座バー＆サロン

序文

「バーの聖地」といわれる銀座。いわゆる古き良き時代の銀座の品格と気骨を愛する向きには、すでに閉店してしまった「ボルドー」「クール」、著名な作家たちが通った現存する文壇バー「ルパン」といった名前に郷愁を覚えるだろう。これら老舗のバーは、戦前からの昭和の匂いと往時の面影を追憶の中に留めている。

戦前戦後の昭和、平成を経て令和になった現在も、銀座のバーは健在である。時代の変化と並走、適応しながらも本来の格式を失うことなく、大人の社交場のイメージが色あせない銀座のバーとは、いかなる存在だろうか。

バーは、今や寿司、蕎麦に次ぐ日本文化だと言われている。バーはアメリカ西部開拓時代の酒場にはじまるといわれている。イギリスで発達した酒場はパブと呼ばれている。現在では、アメリカからもイギリスからも、日本のバーにカクテルのつくり方を学びに来ている。もはやバー文化は、日本の文化といっても過言ではない。

ところで、バーは、オーセンティックバーとショットバーに大別される。

オーセンティックとは、トラディショナルでクラシックなスタイルのバーをいう。つまり、本物、真正の本格的バーということになる。

ショットバーというのは、ボトルではなくワンショット（一杯）ずつ注文するスタイルのバーである。カジュアルな雰囲気で、気軽に入れるバーだ。だから、ドレスコードもない。

今回は、オーセンティックバーに絞り込んで話をきいてみた。

銀座のバーときけば、ハードルが高いと感じる人が多いのではないだろうか。きっかけがないとなかなか入るチャンスがないのも事実である。けれども、酒を飲むという行為に心地よい緊張を味あわせてくれる場所として、銀座バーほどふさわしいところはないと思う。

一流のバーのバーテンダーは、客がドアを開けて入ってきた瞬間から、表情、仕草などをさりげなく観察して、その人の情報を得ているのだ。そして、会話を交わした瞬間から、気持ちを和ませてくれる時間が生まれるコミュニケーションを心がけている。

むろんたかが酒じゃないか、こちらは客なのだから能書きは無用と、飲むだけでもかまわないのだが、それではほんとうのバーの良さを味わうことはできない。

いいバーというものは、オーナー、バーテンダー、スタッフと客が一体となって、その店にふさわしい空気をつくっていくものだ。

ではさっそく、おもてなしの達人、サービスのプロの名にふさわしい4人のバー&サロンのオーナーの話に耳を傾けてみよう。

上下関係で飲むから、文化は伝承されていく

——「銀座　TENDER」上田和男

「ミスターハードシェイク」は静かに微笑む

世界が称賛する「ミスターハードシェイク」は、銀座のバーにいる。

石張りの壁、重厚の中にモダンさを刻み込んだ扉の奥に一歩足を踏み入れると、そこは大人の世界だった。自然に〝襟を正したくなる〟凛とした空気感に包まれるように迎えられる。

扉を開けても、すぐにカウンターは見えない。その数歩の歩みが〝上田ワールド〟に誘うさりげない演出のように感じられた。そして、目の前に広がるのが、やや明るめの照明の中のカウンターだ。

「カクテルの神様」との異名をとる「銀座テンダー」の上田和男さん。
日本のバー文化を向上させた、立役者のひとりである。

「HARD SHAKE BAR 銀座TENDER（テンダー）」は、銀座の夜にふさわしい筋金入りのオーセンティックバーである。

銀座のバーは、大人が酒を飲む場所である。だが、現在、このシンプルかつ確固たる事実が危うくなってきている。

日本では「未成年者飲酒禁止法」によって、未成年者が飲酒することが禁じられている。大人というのは、この場合の成年のことではない。30を過ぎても、40代になっても大人の飲み方ができない人たちが大勢いるということだ。

銀座のバーにふさわしい大人とは、どんな〝大人〟か、「銀座テンダー」のオーナーで「ミスターハードシェイク」としてその名を世界に知られたバーテンダー・上田和男さんの証言に耳を傾けてみよう。

モノづくりへの真摯なあこがれ

上田さんのバーテンダー人生は、日本の戦後と分かちがたく結びついている。

「（1964年の）東京オリンピックまでの15年間、日本は戦後のカクテルブームでした」

その期間、日本中がアメリカかぶれの状態だったと言ってもいい。バー、カクテルへのあこがれはその象徴だったのだろう。

「中高生のころ、兄がホームバーをつくったんです。兄がカクテルをつくる姿を見て、そのかっこよさと楽しさに惹かれました」

秘かにバーテンダーになろうと決意したが、案の定、親の大反対にあう。当時はバーテンダーという職業は、アウトローと見なされていたからだ。だが、上田さんには、そんなイメージはまったくなかった。あったのは純粋なモノづくりへのあこがれだった。

親の反対にあってやむなく大学に進学したが、やはりバーテンダーへの夢捨てがたく、東京バーテンダースクールに入学する。ちなみに上田さんはお酒が飲めない。酒好きが高じてバーテンダーになったというわけではないのだ。

卒業後、就職したのは東京會舘。そこでバーテンダーの修業を始めた上田さんに大きな転機が訪れた。

資生堂パーラーがフランス料理のレストラン「ロオジエ」を開業することになった。だが「バー・ロオジエ」を任せられるバーテンダーがいなかった。その折、資生堂パーラーから東京會舘に話があって、「上田、おまえが行け」ということになったのだ。新しくオープンするバーのチーフバーテンダーとして指名されるほどの信頼をすでに勝ち得ていたのである。

それ以降、数々のカクテルコンクールに出場して優秀な成績を収め、世界大会にも出場し、

「上田和男」の名を世界に知らしめることになる。さらに、資生堂パーラー取締役チーフバーテンダーに就任、「バー・ロオジエ」をオーセンティックバーの名店としての地位に押し上げ、退社とともに銀座に「銀座テンダー」を開店した。

このとき、53歳。遅咲きの独立だったとも言える。

「資生堂パーラービルを建て替えるのを契機に独立しました。この年齢まで待って独立したのは、結果的によかったと思っています」

現在、レジェンドバーテンダーとして世界中のバーテンダーから敬愛されている上田さんにも、「心の師匠」がいた。

「資生堂パーラー時代に心の師匠に出会えたことが、私の大きな財産になっています。その方はデザートを専門に担当しておられました。コーヒーの淹れ方を教えてもらったんです。バイオーダー（注文を受けてから淹れるスタイル）のコーヒーを全員で淹れるのですが、みんなコーヒーの味が違うんです。カクテルも、同じようにつくっても全部味が違います。心の師匠に『見た目は変わらないのに、どうして味が違うのですか？』と、問いました」

上田さんは、心の師匠の言葉を待った。

「つくり手の気持ちが入っているかどうかで違いが生まれると言われました。私はモノづくりの魂を心の師匠から学びましたね。そして、現状に満足せず、常にもっといいものがあるん

自然と居住まいが正されるようなたたずまい。これぞ銀座のバーである

じゃないか、もっといいものができるんじゃないかと、謙虚に向き合う姿勢を教えてもらいました」

バーテンダー界の常識破りの異端児

モノづくりに携わる人間に必要なことは、従来の常識にとらわれないことではないだろうか。だれもがそうだと思い、実践してきたことは時の経過とともにスタンダードになっていく。職業としてその仕事に携わり、対価を得るだけならば、きちんと手抜きをせずにスタンダードなスタイルを踏襲していることに何の支障もない。だが、これまでだれもつくったことのないものを、この世に生みだそうとすれば事情は違ってくる。

上田さんは後者の人間だった。これまでつくられてきたカクテルを全部検証した。このカクテルはこうやってこうつくることになっているが、ほんとうにこれでいいのか？ と。

その徹底ぶりは、カクテルが誕生した時点まで遡り、当時のカクテルのつくり方から、時代とともにどのように変化していったのかというところまでたどり着いてしまったのである。

そうした生き方を、だれもが好意的に受け入れてくれたわけではなかった。

「そんなに激しくシェイクしてどうするんだ！」

「カクテルグラスに氷の粒をいれるなんて非常識だ。そんなものはカクテルではない！」

上田さんは罵声を浴びた。10年ほど叩かれる日々が続いた。

シェイクの仕方には、8の字、一段振り、二段降り、三段振りなどいろいろある。上田さんがハードシェイクをつくりだす前までは「氷のかけらがたくさんできるようなハードシェイクはしない」というのが、バーテンダーのあいだの常識だった。上田さんのひねりを入れた三段振りのハードシェイクは、いまやハードシェイクを好むバーテンダーの教科書になっている。かつて揶揄された激しくシェイクするスタイルは、今では高い評価を受け、「ハードシェイクの上田」として、その名を世界に知られるようになったのである。

上田さんの代名詞ともいえるカクテル「ギムレット」。昔はジンのロックにライムを入れて混ぜる「ジンライム」と言っていた。

「ギムレットもジンライムも、正式なレシピはコーディアルライムという人工のライムシロップを混ぜたものだったんです。どんなカクテルをつくっているときも、もっとおいしくできないかと考えているんですが、ギムレットもそうでした。そこで、フレッシュのライムジュースに切り替えたんです」

それが上田さんの「ギムレット」のはじまりだった。今では人工のライムシロップではなく、フレッシュライムを使うのがスタンダードになっている。カクテルグラスに注がれたギムレットの真ん中に氷が入っているのも、東京會舘スタイルを継承したものである。

生とシロップとでは、味がかなり違う。口に運んだ味が何よりも雄弁に上田さんの技を語ってくれた。

根っからのカクテル人。カクテルこそ命

「正統と異端」という言葉があるが、当初上田さんのカクテルは異端だった。翻って考えてみれば、日本のバーそのものが異端からはじまったのである。

日本のバーは、終戦直後の進駐軍駐留時代に広まった。つまり、日本のバー文化は西洋から輸入されたものなのである。にもかかわらず、半世紀余のあいだに急速に発展を遂げ、いまや世界に冠たるバー王国となっている。バーテンダーという職業も職人芸として確立している。

正統（西洋）・異端（日本）という図式が、逆転してしまったのである。そこで、上田さんは正統（本場）のバーをこの目で確かめてみようと、2001年にニューヨークへ飛んだ。

「バーの聖地だと思っていたニューヨークのバーテンダーのレベルは、想像以上にひどいものでしたね。カクテルのつくり方が実に雑なんです。日本では一杯のカクテルを丁寧にきっちり手をかけて作りますが、現地ではザザザザー、ドンと目の前に出すんです。シェイカーを振る

ことすらせず、ブロックアイスの代わりにクラッシュアイスを使っていました」

保守的な日本に対して、先進的であるはずのニューヨークがダメになってしまった。クラシックなバー文化、カクテルづくりを捨ててしまっていた。

上田さんはバー文化の危機的状況をなんとかしなければと、行動に移した。そのひとつが、カクテルの聖地、アメリカでのバーテンダー対決だった。

アメリカ側には正統（本家）としてのプライドがある。バーテンダーがシェイカーを振るということが受け入れてもらえなかった。アウェーの勝負になったが、上田さんはいささかもひるまなかった。

「自分のハードシェイクをぶつけることだけを考えていました」

勝負を終えると「おまえのつくり方こそ、ほんとうのスタイルだ」と、評価してくれた。

「ハードシェイクで、ニューヨークを制覇することが当初の世界戦略でした。しかし、諸般の事情が重なってニューヨーク進出はあきらめました」

だが、おいしいカクテルをつくりたいという想いは、減じることはなかった。

「おいしいカクテルのつくり方をホームページに掲載したんです」

すぐに反響があった。海外から大勢のバーテンダーが教えを乞いに上田さんのもとを訪れた。

『カクテルテクニック』という自著の英訳本も出版された。2010年に、出版記念のセミナーを開催すると100名余のバーテンダーが集まった。

ギムレットに続いて、ダイキリをつくってもらったあと、上田さんはその自著を見せてくれた。英訳と中国語訳『カクテルテクニック』だった。

著作のなかで紹介されているカクテルの話をしている上田さんの表情を見た。その表情は自分の本が発刊されたことを喜んでいるというより、カクテルのテクニックが世界に紹介され、世界に広められていくことを心から喜んでいる職人の顔だった。

台湾で翻訳された著書のページをめくりながら微笑む。

「おもしろい当て字を使っているかと思えば、そのまま意訳しているカクテルもあるんです」

たとえば、マティーニは馬丁尼、サイドカーは側車となっている。こんなふうにカクテル文化が波及していくのはうれしいことだと、上田さんの顔が語っていた。

「カクテルづくりに磨きをかけ、カクテルを極める。ちょうど研磨職人のように、細やかな心配りと、根気強い修練が必要になり、そうした技の練磨は日本人には向いていると思います」

日本で上田さんの指導を受けた海外のバーテンダーは帰国して、店を開いて日本で習ったしっかり氷を使う上田スタイルで、ニューヨークの人気店となっている。ニューヨークにとどまらず、ロンドンでも上田さんの門下生は活躍している。日本に輸入されたバー文化は、いまでは上田さんによって輸出されているのである。

妥協なきカクテルへのこだわり、さらにその先へ

「マティーニにはじまりマティーニに終わる」と言われているマティーニづくりにおいても、上田さんにはアーティストとしてのこだわりがある。

カクテルに一家言をもち、とりわけマティーニファンの多くが口にするのが、『007』のジェームス・ボンドの「ウォッカマティーニ。ステアじゃなくシェイクで」というセリフである。かくのごとく本来マティーニのカクテルレシピはジンとベルモットだけのシンプルなものだが、飲み方には千差万別のバリエーションがある。

好みも飲み手、バーテンダーによって十人十色で、当然のことながら上田さんには上田流のこだわりがある。上田ファンはその味に魅入られて、マティーニを頼む。

「辛口のドライマティーニが好まれるので、ジンとベルモットを10～20対1で出している店もありますが、ベルモットの絶対必要量の割合というものがあります。私の店では4対1で出しています」

上田さんのマティーニは、ビーフィータジンとノイリープラットのベルモットを4対1できちんと正確に心をこめてステア（撹拌）されて出てくる。

名人、達人、神様と言われる人も、人間である。体調のすぐれない日もある。その日のカクテルの出来栄えは、つくり手である自分自身がよくわかっている。

「出来不出来をコントロールできるようにならなければ、一人前のバーテンダーとはいえません。出来ない人がいくら教えても、本物のカクテルはつくれません」

だから、自分の技を後進たちに伝える活動に力を注ぐ。CCS（カクテル・コミュニケーション・ソサエティー）、PBO（プロフェッショナル・バーテンダーズ・オーガナイゼーション）を設立し、講演、出版活動も精力的に行い、カクテル文化の深耕とバーテンダーの地位向上に取り組んでいる。

高いことがステイタス。それが銀座だ

バーのはじまりは、戦前は「ミルクホール」と呼ばれていたところで働いていた〝女給〟が独立して開いた店だった。カウンターの中にはお酒を調合するワンバーテン。そこからスタートして、現在、銀座はバーの聖地となっている。

その銀座のバーも年々変わってきている。

「バーには、バーテンダーと飲み手の関係というものが存在しました。経験の浅いバーテン

ダーは年配で酒の飲み方を知っているお客さまに育てられ、経験を積んだ年配のバーテンダーは若いお客さまを育てるという関係です。店の品格、高級感というものはバーテンダーと飲み手の関係からつくれていきます。上下関係で飲むから、文化は伝承されていくんです。しかし、近ごろの若い人は上の人と飲まなくてもいい理由を探しています。だから、酒をどう楽しむかということを教えてもらう機会をもたないのです。銀座は（値段が）高いことがステイタスです。デフレの今は安いことがキーワードになっていますが」

値段だけのことではない。銀座で飲むという心の持ちようにもステイタスを抱いてほしいと言っているのだ。

たとえば、銀座のバーで飲むとなれば、相応のドレスコードというものが存在していたが、それも緩んできている。「銀座テンダー」もかつてに比べれば、ずいぶんハードルを低くしているようだ。

「それでも、短パンのお客さまは（入店を）お断りさせていただいています。場所が違うから帰ってくださいと言ったこともあります」

店の中でも、周囲に気配りができる〝大人の飲み方〟を知らない客には、「お客さま、それ以上は飲み過ぎです」と、飲ませないこともある。

売り上げを考えたら、飲みたいだけ飲ませたほうが効率がいいのだが、そんな野暮なことは上田さんにはできない。したくないのだ。

「文化には金がかかります」

上田さんが高いことがステイタスと言っているのは、銀座の文化を育て、伝承していくにはお金が必要になるということなのだ。

「銀座らしさを守っていくには、周囲の店、人々との共存が大事になります。自分のところさえよければという考えでは、銀座らしさを失っていくばかりです」

上田さんは現状を嘆いている。

「アフターねらいの店は、難しくなっています。クラブと連携してお客さまを送り出すところもありますから。ほかの店と比べれば、テンダーは同伴のお客さまは少ないほうです。同伴の男性客の中には、『おい、バーテン、あれをつくれ』など、バーテンダーを低く見ていびる人がいます。サービス業に対する考え方の違いからくるのでしょうが、一般論でいえば、欧米より日本人のほうがサービス業に携わる人間を低く扱う人間が多いようです」

サービス業に対する考え方の違いは、つまるところ、お酒の飲み方にかかわってくる。

「日本人はお酒を憂さ晴らしで飲む人が多いですから、お酒と向き合って楽しむことが少ないんですね。酒をどう楽しむかを伝えていくことも私たちの仕事だと思っています」

銀座で飲むこと、銀座のバーを楽しむことは、大人になるということ、銀座で大人の遊びをするということ、粋に生きるということを身体で学ぶということにほかならない。

「飲料文化を育てていくことは、容易なことではありません。でも、私はカクテルをつくり続けるかぎり、微力ながら、銀座の文化、飲料文化を大切に育んでいこうと思っています」

古城を守る孤高の、武骨な武士の風情。ひとりでも多くの若い人たちが、上田さんの後につづいてくれることを願う。

バーテンダーはキャラクター商売です

――「BAR　いのうえ」井上茂樹

大学が休校でなかったら、別の人生を歩んでいたかも知れない

１９６０年代後半に大学に通っていたのなら、大学が休校になった経験をしている方もおられるだろう。１９７０年にピークを迎えた学生運動のうねりの中で、全国の多くの大学がバリケード封鎖され、教授も学生も締め出されて授業はできなかった。

大半の学生はまったく運動にかかわりをもたず無関心だった。彼らは「ノンポリ（ノンポリティカル）＝学生運動に無関心、参加しなかった学生」と呼ばれた。

井上さんも、ノンポリだった。大学で授業が行われないのだから、勉強ができない。真面目

人当たりのよい、温和な笑顔の「BAR　いのうえ」のオーナーバーテンダー、
井上茂樹さん。その人柄にひかれて今宵も常連客が集まる。

な井上さんはアルバイトに精を出した。手っ取り早くお金になるからと、井上さんは出前持ちのアルバイトに就いた。

ところが、アルバイト先の店主にこう言われた。

「君のような人間が、こんな仕事をしていてもしょうがないだろう。私の妹がバーをやっているからそこで働いてみないか」

善意のアドバイスであった。だが、井上さんが行ってみると、すでに見習いの人員は決まってしまっていた。

そこで、こうアドバイスされた。

「水商売を本気でやるつもりなら、きちんとしたお店で仕事を覚えたほうがいいわよ」

そして、井上さんは飲酒関係の大手チェーン店に入った。

深く考えずにはじめたアルバイトから、ひょんなきっかけで水商売に生きることになってしまったのである。だから、人生はおもしろいのだ。

老舗高級クラブでオープンから18年働いた

本人に自覚がなかったとしても、井上さんには水商売が性にあっていたのだろう。その後、吉祥寺でスナックを開いた。

「これが、大当たりしました」

出足が順調ならば、だれでもその世界でもっとやってみようという気になる。

「それから新橋で小さなクラブをはじめたんです」

年も若かった。順風満帆の日々を思い描いた。ところが、第一次オイルショックで店は倒産。

先の展望はまったく見えなくなってしまった。

そんな日々の中で、井上さんはあるひとりの女性と運命的な出会いをする。あまたの銀座クラブママの中でも、今やレジェンドとなったクラブ「グレ」の光安久美子初代ママである。久美子ママの人柄にほれ込んだ井上さんは、「グレ」でバーテンダーとして働くことになった。

「グレ」は現在も、銀座を代表する高級クラブとして二代目ママに受け継がれている。

「オーナーママの成長していく過程をずっと見てきました。本物のクラブママはこうして大成していくのだということを目の当たりにできたことは幸せでしたね。とにかく〝素晴らしいお店〟のひと言に尽きます。ママをはじめホステスもスタッフもみんな心を一つにして仕事を楽しんでいました。お店にいる時間がどんな時間よりも楽しかったですね。社員同士だけでなく、お店とお客さまが一体化していました」

男女のあいだでは稀有な強い「同志愛」で結ばれた久美子ママと、お店での満ち足りた日々

を過ごしていた井上さんだったが、それでも、

「銀座で自分の店を出すのが夢でした」

そして、井上さんはついに自分の夢を実現させた。

自分の店を持ったのは、水商売の道に入って26年目、46歳のときだった。「グレ」でバーテンダーとして働いて18年、決して早い独立とは言えなかった。

久美子ママと井上さんとのあいだには、二人だけが知る泣かせるドラマがあった。

「独立の意思をママに伝えたのは、1月でした。その時点で店は辞めるつもりでした。そのとき久美子ママは『独立するって、お金大丈夫なの。今辞めなくても3月まで働けばいいじゃない。その分、お給料も出るんだし』と言ってくれました。店は4月オープンを予定していましたから」

久美子ママの度量の大きさは、これだけではなかった。

「オープンの日、久美子ママはお祝いにかけつけてくれました」

これだけなら、そうなんだという話で終わってしまう。

「久美子ママはずっと私の店にいてくれたんです。もちろん、その日もママのお店（グレ）はやっています。いつものように、ママ目当てのお客さまが大勢やって来ます。お店に電話を入れて『私に逢いたかったら、ここに（BARいのうえ）にいるから、こっちへいらっしゃい』

とお客さまを呼んでくれたんです」

オープンしたばかりのバーに、自分の店に来てくれた客を呼んでくれる。ママの情の深さに井上さんがどうこたえたか、あえてここでは書かない。久美子ママは、その日、12時半までずっと井上さんの店にいてくれたのだ。

独立してからも、久美子ママとのエピソードは続く。

久美子ママは井上さんの家族全員を旅行に招待してくれたこともあった。

「こういうことをサラッとやってしまう女性なんです」

現在、久美子ママは銀座を上がっている。それでも、井上さんは久美子ママとはゴルフなどを楽しむお付き合いが今でも続いている。

客との距離感はバーカウンターの幅だけ近づく

銀座で働きだして、どれだけの月日が流れただろうか。井上さんは今日もカクテルをつくっている。磨き抜かれたお店は、すでに井上さんの一部となっていた。

井上さんは変わってきた銀座も、変わらない銀座もずっと見てきた。

「お客さまが高齢化しています。さらに、大企業の社長、役員クラスの人たちがみんな引退してしまって。いちばんいい時（時代）を過ごさせてもらったと思っています。忙しかったけれど、楽しかったですね」

上司に連れられてバーで大人の飲み方を教わり、今度は自分がバーに部下を誘う。そんな夜の銀座のまっとうな世代循環がちょっと先細りになったということなのだろう。

それでも、商売のルール、けじめといったものをずっと守ってきた。

「いくら常連になっていただいたお客さまとでも、親密になりすぎてはいけません。バーテンダーが忘れてはいけないのは、お客さまとの距離感です。バーにはカウンターがありますが、その幅の分だけ距離を保ちなさいということなんです」

客に狎《な》れず、媚《こ》びず、さり気ない礼節を保つ。親しき仲にも礼儀あり。

それが、カウンターの幅に込められた銀座の一流バーのバーテンダーの矜持なのである。

「お店が混んできて満席になったときなど、最初に来ていただいたお客さまが至極自然にさっと出て行く。それが、銀座のバーの粋なお客さまです」

バーテンダーやほかの客に絡んだりするのは、論外である。

「本業のホステスが少なくなったような気がします。現在は派遣のホステス、昼間働いているホステスが多いですね。昔のホステスは、いろんな意味で必死さがありました。現在のホステスは必死さが薄い分だけ明るいんですが、軽いというかあまり物事を深く考えない子が増えて

「BAR　いのうえ」のカウンター。シングルモルトをはじめ、世界の銘酒を取り揃えている

いるような気がしますね」

手渡しの文化があってもいい

井上さんのお店は、現在井上さん一人だが、以前は見習いとヘルプの女の子の3人でやっていたときもあった。だれかに気兼ねすることなく、すべてマイペースで商売ができる現在のスタイルを十二分に楽しんでいるようだ。

「お客さまがきてくださるという自信は多少ありましたね」

生き方がつくってきた自負であろう。

井上さんの静かなまなざしは、長年、ホステスたちを、客たちを、銀座を、そして自分自身を見つめてきた。

「銀座のクラブには頭のいい、きれいな子がたくさんいます。でも、銀座で生き残るか否かは、男性に対して手厚いお付き合い、接客ができているかです。自分だけ儲かればいいという子は、銀座では長くいられません」

銀座の男たちへも期待を寄せる。

「銀座の男は靴だけは磨いておけと教わりました。ほかの場所はともかく新橋と有楽町のあいだはきちんとした服装を心がけています」

銀座の男は通りを歩くときさえ、粋であろうと自らを律することを習慣化している。

「銀座は金儲けではなく『よし、おれも銀座で飲めるような男になってみよう』と、自らを鼓舞する場所です。でも、最近は銀座の男たちがサラリーマン化してきましたね。ギラギラしなくなりました」

お金だけでなく、仕事の面でも精神面でも大きな男になっていく。そのことに貪欲になる男が少なくなったということなのだろう。

女たち、男たちへのまなざしは銀座へと向けられる。

「銀座の文化と言われますが、文化というのは抽象的な概念です。でも、実際に人から人へと受け継がれる文化があってもいいと思っています。振り返れば幸せな銀座人生だったと思います。感謝することばかりです」

世代を超えてバトンタッチされていく手渡しの銀座文化。それは、まさしく生身の人から人へと受けつがれていく。銀座人から銀座人へと。時代を超えて。

「出会いの大切さを身をもって感じてきました。だれにでも、あの人に会っていなければと救われた経験があると思います」

それは予期せぬ偶然の産物なのかもしれない。井上さんは、男女を問わずそんな出会いを積み重ねてきた。

吸わなかった煙草を口に運んだこともあった。

「そんな暗い顔をしていたら、客は来ないよ」と、いってくれた客もいた。いろいろなことがあった。

「食事の前に一杯とバーに寄る。待ち合わせの場所にバーを使う。バー文化は消えていく文化なのかもしれません。生きていくことに必要なものだけを追いかけていると、人生に疲れてしまうこともあるでしょう。そんなとき、あえて無駄な時間を費やしてみたくなる。バーというのは、そんな無駄なことをしてしまうのに最適な場所なのかもしれません」

諦観の言葉と受け取ればいいのか、若手に担ってほしいバー文化への期待を込めたメッセージなのか。こたえは簡単ではない。

最後に井上さん自身のことを聞いてみた。

「お客さまとの間の取り方ということを常に念頭に入れているんですが、何年経ってもバーテンダーとして、これでいいということはありませんね」

自省の気持ちを何年経っても忘れない、驕らない。歩く謙虚さがネクタイを締めている。それが、井上さんだ。

「元気なうちは（お店を）やっていきたいと思っています。そして、この店は、ぼく一代限りでいいと思っています。バーテンダーというのはキャラクター商売ですから。ひと通りの修業を積めばジントニックのつくり方はすぐに覚えます。お客さまに『井上さんのジントニックはやっぱりほかと違う。美味しい』と言っていただけるのは、手にしたジントニックだけでなく、ぼくというキャラクターもいっしょに飲んでいただいているからなんです」

くり返してくれた言葉が胸に残った。

「銀座があったからこその人生でした。ありがとうございます」

お客さまからいただいた言葉「決断と勇気」を胸に

——「BAR Le Rivage」岸広史

2つの名門バーで学び、独立した

店の名「Le Rivage（ル・リヴァージュ）」はフランス語。「岸辺」という意味である。オーナーの名字に由来しているわけだが、それ以上の意味が込められているように思う。「夜の銀座の岸辺」という響きに、自分の店への祈りのようなものを感じるのは私だけだろうか。

2015年5月にオープンしたばかりのオーセンティックバーである。バー「ル・リヴァージュ」の客との出会いの物語が、本格的に書き継がれていくのはこれからであろう。オーナーとしてのキャリアはまだ浅いが、バーテンダーとしてのキャリア、貫録はだれの目

「BAR Le Rivage」の岸広史オーナー。伝統で彩られた銀座のオーセンティックバーの世界に新しい風を吹かせる、注目のバーテンダーだ。

をも納得させるマスターの風格が漂う。

大学生のときにアルバイトをしたことが、この世界に入るきっかけとなった。

「バーテンダーという職業に、サラリーマン人生では味わえないだろう面白味を感じたんです」

面白味は、やりがいに通じる。やりがいをつかむためにはきちんと仕事を覚えなければいけない。岸さんは、バーテンダーの王道を歩みはじめた。最初に師事したのは銀座の老舗バー「モンドバー」の大御所バーテンダー長谷川治正さんだった。師匠のもとで5年間バーテンダーとしての心構えや技術、知識、接客を学んだ。

それから岸さんはいったん銀座を離れる。さらなるバーテンダーの仕事の深さを求め、姿勢を正してドアを押したのはバー「ガスライト」四谷店だった。四谷店の店長を経て、銀座店に移った。銀座店では5年ほど勤めた。

「トータルで15年ほど経っていましたし、年齢も40近くになっていたので、(独立してもいい)頃合いかなと」

横のつながりが密接な商売、人間くさい業界

「この商売は、横のつながりがとても密接なんです。もちろん同業店とは競合しますが、街全体で銀座を盛り上げていこうという思いが強いですね。『こんなお店もあるから行ってみてはいかがですか』と、敵に塩を送る感じで次の店を紹介し合う鷹揚さも銀座のバーのよさじゃないでしょうか。銀座で飲む人は、基本的には銀座でしか飲まない方が多いですね。ある意味、銀座は安心、安全なところですから」

バーテンダーの世界は師弟関係が強い業界である。上下の絆が枝分かれして横に伸びていって、銀座のバー文化を広めていく。そんな感じなのだろう。

「銀座だけじゃなく、地方へ出張するお客さまには地方の店（バー）を紹介したりしています」

業界のつながりというだけでなく、岸さんの人柄もそこに加わっているようだ。

「四谷時代のお客さまが私が銀座に移ったことをきっかけに銀座を知ってもらい、お店に来ていただいているということもあります。とても人間くさい業界ですね」

バーの主になって、丸5年、率直なこの間の感想を語ってもらった。

「やってみないと見えない景色があるといわれたんですが、たしかにそうですね。開けてみて見える景色があります。それに、自分でやることはすべて自分に還ってくるということ。でも、孤独だとは思っていません。そんなに追いつめなくてもいいと、自分に言い聞かせています。仕事は、どれだけ楽しくやれるかが大事ですから」

粋な客、会話のできない客、叱ってくれる客

「この仕事に就いてから、天気に敏感になりました」

雨や雪の日は、どうしても客足が鈍る。暇を持て余すこともある。そんなときにかかってくる電話がある。

「こんな日は、おれしか行く奴いないだろう」

岸さんの心の中に、にわかに晴れ間が広がる。

ドアを開けて入って来る客もいれば、出て行く客もいる。時間の経過とともに、気がつけばカウンターの客は1人だけになった。

「1人だけになったお客さまは、次のお客さまが入って来てくれるまで居てくださるんです。そんな気持ちを恩に着せるわけでもなく、表に出さずに」

客と言えば、修行時代に、怖い、緊張感を強いられた忘れられない客がいた。

モンドバーではハンドメジャーでカクテルをつくる。

「メジャーカップを使うと、手の微妙な感覚でつくることができなくなりますから」

だが、修行中の岸さんにはまだ技術がなかったため、メジャーカップを使ってカクテルを出

していた。カクテルを飲んだその客は、ただ一言。

「もう一杯」

満足か、不満足か。表情からは読み取れない。岸さんは、それからハンドメジャーの練習を積み重ねた。そして、初めてその客にハンドメジャーでつくったカクテルを出したときのこと。

「今日のが一番うまいよ」

その客は続けて言った。

「銀座は量ってつくるのは粋じゃないんだよ。量が多い少ないじゃないんだ。カクテルを作る気持ちと粋が大事なんだよ」

「今でもその言葉が心に残っています」と岸さん。バーテンダー冥利に尽きるとは、こんなときに言うのだろう。

ちょっと寂しいことですが、そんなやりとりも近年はだいぶ減ってきたようだ。

「昔より時間軸が速くなっているんでしょうか、みんな急かされていますね」

何かに急かされているからだろうか、岸さんは最近コミュニケーションが取れない人が増えていると感じている。世の中、社会の回り方、金の使い方も微妙に変わってきている。カウンター越しに、岸さんはそれを肌で感じてきた。

「いろんな意味で、精神的にも追いつめられているということもあるんでしょうか。全員がケータイを見ているんですね。場持ちがしないんでしょう。話し下手なんですね」

そう語る岸さんも、しゃべるのは得意なほうではなかった。

「同じ話を10人に10回すればうまくなると言われました（笑）」

話し上手は、雄弁な人でも饒舌な人でもない。間の取り方が絶妙で、話すこと以上に聞き上手なのだ。岸さんは落語をよく聞く。咄家の間の取り方には大いに学ぶものがあるそうだ。

バーはお酒だけじゃない。空気を売る空間

バーテンダーと客の関係は、店を訪れるごとに阿吽《あうん》の呼吸になっていく。

「同じカクテルでも2、3回おつくりして、やっとOKが出ることがあります。お客さまのお顔を見てつくり直すんです。バーという場所は、空気を売る空間なんです」

経験は最高の師匠だが、若いときにはこんな苦い体験もした。

「個室のあるバーで、カクテルをつくってお持ちしたんです。そのころ仕事にも慣れてきて自信もありましたから、こんな感じでいいだろうと。ところが、そのカクテルをひと口飲んだあるクラブの大ママが『このカクテルだれがつくったの！　人が見ていないからと言って、手抜き仕事をするんじゃない。自分がつくったものは、自分で責任を持ちなさい』と烈火のごとく

怒りだしたんです」

数多くのバーテンダーのカクテルを口にしてきた大ママは、そのとき岸さんがつくったカクテルに無意識の驕りを感じ取ったのだろう。その失敗談から、岸さんはどんなに熟練の技を身につけても、謙虚さ、真摯さをなくしてはいけないという教訓を得た。

「ぼくたちは、答えのない仕事をしているんです。年齢を重ねると味覚も違ってきます。経験を重ねるごとに熟練度は増していくけれど、20代のときにつくったフレッシュなカクテルは逆につくれなくなります」

バー「ル・リヴァージュ」には女性のバーテンダーが1人いる。

「彼女のカクテルが飲みたいという客もけっこういるんですよ」

と、岸さんはうれしい苦笑い。

ドアが重いと中に入っていい思いができる

自分のお店のことだけではなく、岸さんはバーテンダーとしての社会的ステイタスの在り方、銀座のバーのこれからについても思いを馳せる。

「バーテンという呼び方は蔑称です。バーテンダーという名称は『Bar ＋ Tender』なんです。

テンダーにはいくつもの意味があります。優しいという意味もあれば、見守る、世話をする人という意味もあるんです。ですから、バーテンダーという職業は、バーに集う人たちを癒し、お世話する仕事なんです」

そのプライドこそ、銀座の一流バーテンダーの真骨頂であろう。

「お酒に関する知識があるのは当たり前です。だから、日々勉強を怠ることができないんです。ぼくなどまだまだ。銀座のバーテンダーはよく勉強していますよ」

バー「ル・リヴァージュ」のカウンターは、アサメラ材の一枚板。カウンターが一枚板であるバーは、銀座には何軒もある。注意深く観察すると、あることに気づく。

「カウンターは両端から出られるようにしているんです。中でずっと1人でやってきましたから、少しでも早く仕事ができるようにと。カウンターには何も置いていません」

経験から学んだ知恵が生かされているということだ。

「来店されるお客さまを守りたいという気持ちは強いですね。だから、親しいお客さまでも、いつもと違って飲み方がおかしいときには注意します。とくにドレスコードというものはないんです。服装はそれなりにきちんとしていれば銀座に飲みに来られているお客さまですから、という気持ちが強いです。初めてのお客さまでも、常連客のように接しています。バーテンダーはお酒とお客さまを会わせる仲人役のようなものです。お酒は美味しく飲んでもらわなけ

カウンターはアサメラの一枚板。スッキリとしたモダンな印象のオーセンティックバーだ

れば、お酒が可哀想です」

銀座バー初心者には、こんなアドバイスを。

「知ったかぶりしないことじゃないでしょうか。『普段はこういうのを飲んでいるんだけど』と言ってもらえれば。遊び慣れたお客さまは、バーテンダーをうまく使って遊ぶ方法をよく知っています。以前はバーテンダーを相手にダイスを転がしたりする光景が見られたのですが」

銀座バー初級者に、岸さんの金言をひと言。

「ドアが重いと中に入っていい思いができます」

1人でやる面白さとむずかしさを知った

何百軒とある銀座バーは、それぞれに今宵も重いドアが開く。

「銀座だからバーをやりたい人がいれば、銀座だから止めたいという人もいます」

バーの聖地、銀座にはさまざまな人の想いが交差する。

「銀座は一杯をできるだけ早く提供しようという感じですね。それは銀座の街に流れている空気感がそうさせていると思います。バーテンダーは、自分の好みの味覚をどれだけ知っているかということも大事なことです。自分は酸味が好きなんですけど。それと、ひとつ核になるお酒をもつことです」

〝ジンリッキーは始まりと終わりに〟が持論の岸さんにつくってもらったジンリッキーは、なるほど酸味が効いて、喉ごしがさわやかだった。

「1人でお店をもつ面白さとむずかしさを知りました。この世界に入ったときに、父親はいい顔をしなかったんですが、店を持ったら『息子が銀座で店を持っているんだ。銀座に出したんだよ』と自慢しているんです（笑）」

これからの銀座バーについては、

「スコッチだけ、テキーラだけ、ブランデーだけ、ジンだけとかといった、より掘り下げたニッチな店が出てくるんじゃないでしょうか」

ウィスキーはオフィシャルスタンダード、カクテルはスタンダードカクテルがメイン。

「オリジナルカクテルはあまりつくりません」

時代は変わっても、正統派志向のバーテンダーである。

「独立するときにお客さまから『決断と勇気』という言葉をいただきました。その先には社会貢献が待っていると」

経験を何年重ねても、初心忘れず。岸さんはカウンターの中で、一杯のカクテルが「社会貢献」につながる思いを胸に秘めて、客を笑顔で迎える。

カクテルABC――ブレイク

バーカウンターは、人生の止まり木のような場所だと評した人がいる。カクテル一杯に人生の味を噛みしめるようになれたら、大人の仲間入りができたといえるのだろうか。とりあえずカクテルの基本の基本から覚えてみよう。

カクテルとは、ジン、ウィスキー、ブランデー、ウォッカ、ラムなどアルコール度数の高い蒸留酒、またシャンペン。シェリー、ベルモットなどにシロップ、ジュース、苦みのあるエキスを混ぜたものの総称をいう。その種類は3000種といわれている。

●ロングカクテルとショートカクテル

一般的に言って、カクテルはグラスの形状からロングカクテルとショートカクテルに分けられる。特徴と飲み方は以下の通りだ。

・ロングカクテル（ロングドリンク）…アルコール度数が低めのものが多く、氷が溶ける前に飲むのがベター。タンブラーグラスのように細長いグラスに入っている。

・**ショートカクテル（ショートドリンク）**…アルコール度数が高めのものが多く、ゆったりとドリンクがぬるくなる前に飲むのがベター。グラスは小さいものでステム（脚の上部）を軽くもつ。

●カクテル用具たち

バーにはカクテルをつくるための特別な道具が揃っている。基本的な道具の名称を覚えれば、バー通に見られるかもしれない。

・**シェイカー**…混合したり冷却したりするために用いられる。トップ、トレーナー、ボディからなり、たいていはステンレス製であることが多い。

・**バースプーン**…撹拌するために用いる長柄のスプーン。反対側はフォーク状になっている

・**マドラー**…撹拌するために用いる棒。クラブなどでは反時計回りに回すように教えられるそうである。

・**ミキシンググラス**…混合と冷却をするために使用されるグラス。

・**メジャーカップ**…バースプーンよりも多い液体を量り取るための金属製の容器。サイズの

ことなるカップが背中合わせ状態になっている。

●カクテルのつくり方

カクテルの製法にはそれぞれ呼び名がある。代表的な製法を押さえておきたい。

・シェイク…材料と氷をシェイカーに入れて振り、強く混ぜあわせる。アルコール度の強い酒をまろやかにしたり、混ざりにくい材料を急速に混ぜ合わせたりする。

・ステア…材料と氷をミキシンググラスに入れ、バースプーンで手早くかき混ぜる。

・ビルド…グラスに直接材料を注ぎ、そのまま提供する。

・ブレンド…ブレンダーミキサーを使って、材料を強くスピーディーに混ぜ合わせる。材料にクラッシュド・アイスを加え、シャーベット状のフローズン・カクテルをつくる場合などに用いる。

●知っておくとベターな飲み方

最後に「知っておくと役に立つバーの作法」を。

カクテルにデコレーションされたフルーツは、そのまま食べていい。その際、食べかけをそのままにしないように、一度で食べきる。

フルーツにピックが刺さっている場合は、はずしたピックをコースターの端にのせ、飲み終わったらグラスの中に入れておく。

フルーツの種や皮はペーパーナプキンで包みグラスの脇に置く。

マドラーが添えられて出てくる場合は、カクテルをかき混ぜたり、フルーツをつぶしたりするのに使おう。飲むときはマドラーはグラスの外に出し、コースターの端やマドラー立てに置くようにしよう。

シャーベット状のフローズン・カクテルやクラッシュド・アイスなどを使ったカクテルには、細めのストローが2本添えられてくる。2本あるのは氷がストローの中に詰まってしまったときの予備である。恋人同士だからといって、1本ずつ使って飲むのは野暮である。

あることがたし、感謝、仕える心で、同じことをくり返す

――「サロン・ド慎太郎」矢部慎太郎

近代数寄者の心を受け継ぐ銀座サロン

銀座はバーの聖地だと書いたが、ゲイバーとなると、聖地、最大のゲイタウンの座は、新宿2丁目に譲らなければならないだろう。

だが、古さでは銀座に軍配が上がる。日本初のゲイバーとして知られる「やなぎ」、さらに「青江」「吉野」、彼ら銀座ゲイバーの名を記憶しておられる方もおられるだろう。

銀座ゲイバーの流れをたどれば「やなぎ」のママが「青江」「吉野」のママを育て、「青江」のママが「春駒」ママ、カルーセル麻紀を育ててきたということになる。

「サロン・ド慎太郎」の矢部慎太郎ママ。銀座や神楽坂に複数の店を持つ、優れた実業家でもある（サロン・ド慎太郎提供）

「やなぎ」「青江」「吉野」といったゲイバーが隆盛をきわめたのは、バブル前だったということも興味深い。日本を代表する映画俳優、スポーツ選手、歴代の大物政治家たちが足を運んだまさに伝説をつくったゲイバーだ。「やなぎ」が閉店したのは1989(平成元)年、昭和の終わりとともに店を閉めたが、どこか意味深いものを感じる。

時が経過し、平成の真ん中2003(平成15)年、春駒ママからバトンタッチされるように慎太郎ママが銀座に開店したのが「サロン・ド慎太郎」である。従来のゲイバーの概念を突き崩す新しいコンセプトの「ゲイサロン」が、銀座に誕生したのだ。

「サロン」とは、本来17〜18世紀のフランスの宮廷や貴族の邸宅を舞台にした社交的な集まり、社交界のことである。宮廷人でも貴族でもない慎太郎ママが「サロン」に込めた思いは、社交的な集まり場をつくり、そこで「一流のあり方」を追い求めたいということではないだろうか。

そんなことを考えながら慎太郎ママの話を聞いていると、頭に近代数寄者の姿が思い浮んだ。話を聞いた場所が銀座のお店ではなく、神楽坂のうつわの店「帝《みかど》」だったことも影響したのかもしれない。

近代数寄者とは、三井物産の創業にかかわり「千利休以来の大茶人」といわれた益田孝(鈍《どん》翁《のう》)、横浜三溪園で知られる原富太郎(三溪)、「電気王」の異名をもつ松永安左ヱ門(耳庵《じあん》)、安田財閥を築いた安田善次郎(松翁《しょうおう》)、「鉄道王」の名で国内の鉄道敷設、再建事業にかかわった根津嘉一郎（青山《せいざん》）など、実業家として産業界の歴史にその名を残し、茶の湯に興味をもった大物たちのことである。

彼ら近代数寄者たちは、日本美術の観点から競って茶の湯の名物道具を蒐集した。その執着ぶりは、物欲というものへのこだわりを超えた、手に入れるためにはいささかの妥協も許さない精神的な峻烈さを秘めていた。

だからこそ、私欲を突き抜けて集められた近代数寄者たちの美術工芸品のコレクションは、根津美術館、五島美術館、逸翁（小林一三）美術館などで見ることができる。

うつわ集めに世界中を東奔西走している「サロン・ド慎太郎」の慎太郎ママのこだわりは、近代数寄者たちの精神につながっているようだ。

銀座の地で高級クラブとも、バーとも異なる。それでいて、高級クラブともバーとも重なる部分のある新しい独特の空間、伝承されてきた日本文化への共感へとつながる時間。それが「サロン・ド慎太郎」なのだ。

「うつわ」への想い、「サロン」への想いに通底しているものは、慎太郎ママの「本物は、人でもモノでも、時間に負けない強さがある」という信念であろう。

「一見関係のないようでいて、本物の知識がビジネスにもつながるし、暮らしも豊かにしてくれるんです」

本物の知識、ウソのない人間にふれてきた人間の素直な感慨である。

慎太郎ママの思いは、フランス宮廷文化だけではなく、益田鈍翁が開いた「大師会」という茶会にも通じているのではないだろうか。

大師会とは、美術骨董の展示と園遊会を併せたような茶会であった。この席にはお互いに信頼できる者同士しか呼ばれなかった。

「サロン・ド慎太郎」には、政財界、芸能界、花柳界まで各界のトップクラスの人たちが足を運んでくる。大師会と異なるところは、主宰者が集まる人間を選別するのではなく、客のほうがあまたの銀座の店の中から「サロン・ド慎太郎」を選別して集まってくるということだ。

「とりわけお店は、芸術家が集まる場所なんです」

気がつけば「ここは、銀座のパワースポット」などと言われるようになっていた。

「皆さんが楽しんでくださるから、さらに楽しい方が集まる。成功している方が多いから、自然とそういう方しか集まらない。私もパワーをいただきますし、足を運んでくださる方にとってもそういう場所になっていると思います」

お店に集う常連客は〝類友〟ばかり

「信頼できるスタッフがいて、素敵なお客さまがきてくださって、健康で、ほんとうにありがたい毎日を過ごしています」

慎太郎ママは「素敵なお客さま」たちを〝類友〟と呼ぶ。

「類は友を呼ぶ」という言葉を思い浮かべる人もおられるだろうが、慎太郎のママの〝類友〟はどこまでもポジティブな意味合いを持っている。

「厳しい言い方になりますけれど、世の中にはランクというものがあります。経済にせよ美貌にせよ社会的地位にせよ、基本的には〝類友〟で成り立っているんです。自分以上のものに出会うことはないし、無理に高いブランドなどを身に着けてもちぐはぐになってしまうでしょ」

実体験から学んできたシビアな生身の人間の見方である。

「私のところには旧華族の方、花柳界の方、経済界の重鎮など、なぜか立派な仕事をされている一流の方が足を運んでくださいます。これも類友で、一時《いっとき》金回りがよくて銀座に遊びに来るにわか成金みたいな方が集まりにくい空気が自然と生まれているんです」

〝類友〟という言葉には、慎太郎ママが時折冗談めかして口にする〝脱・財界〟という言葉と照応させてみると、深い意味合いが込められているのがわかる。

「どなたであっても、サロンにいらしたらあくまでもお客さまのひとり、財界の方だから、社会的地位が高いからということで扱いを変えることは一切ありません。みんなが平等に扱ってもらえる世界なんです。楽しく語らうという意味ではみなさん一緒ですから。サロンでは会社名や肩書、経済力よりも『本物は何か』を知っているほうがはるかに重要です」

「サロン・ド慎太郎」には、ウソつきの客は来ない。ウソをついても、すぐにバレてしまう。たとえば、華族をはじめ歌舞伎役者、茶道、華道などの流儀、家系や伝承などを知ったかぶりをして、慎太郎ママの前で話してもすぐに見透かされてしまう。

「私は他人《ひと》の家のことをよく知っていますから」

華族も、歌舞伎役者も、家元もサロンに遊びに来るのだから、慎太郎ママは自然と直に本当の情報を得ているのだ。

会社名や肩書など重要ではないと言ったが「サロン・ド慎太郎」では、一部上場企業の社員上がりの社長より、会社を興し一代で財を築いた苦労人の社長のほうが多い。

「年間3万社もの会社が生まれ、そのうち8割は3年と持たない中で、ご自身でビジネスを興し、何十年も会社を続けている方が少なからずいらっしゃいます。おもしろいことに、そういった方についてはネットで検索しても、会社名はおろか名前さえ出てこないことがほとんど」

そうした隠れた実力者、日本経済に影響力のある人たちが、生のウソのない情報を交換するだけでなく、心の鎧《よろい》を脱ぐ場所が「サロン・ド慎太郎」なのだと、常連客たちは認識しているのだろう。

エレガントな方にお仕えするのが好き

慎太郎ママはただ、エレガントな方にお仕えするのが好きだから現在の仕事をしている、と言い切る。

「経営する立場ではありますが『日々お客さまにお仕え申している』と思っています。誰かに仕えるということはとても面白いこと、自分ひとりではできそうもないこと、考えつかないことをやらせていただけるのですから、仕える気持ちで接しているうちに人間として大きく成長できます」

サロンを営んだり、飲食に携わったりする仕事は、慎太郎ママにとっては「お仕えする仕事」ということになるわけだが、さらに慎太郎ママ流に言えば「人に幸せを差し上げる仕事」に通じている。

「だから、浮かれすぎたり悲しみ過ぎたり、その日の気分、感情に左右されてはいけないんです。お客さまはその日の気分が違っていても当然のことですけれど、お迎えする私たちの側がその日、その日で雰囲気が変わる店では、美味しいお酒は飲めません」

慎太郎ママは「一生懸命」という言葉をあまり好まない。万事を淡々とこなすように日々生きている。「頑張る」ことも評価しない、ただ「あきらめない」だけでいいと。
「〝あきらめない〟を続けるためには、ほどよい忙しさを大切にしています」

多忙な日々ではない。幾重にも頭を下げる感謝の日々

銀座に「サロン・ド慎太郎」「ぎんざ紫」、神楽坂に「ギャラリー&カフェ　帝MIKADO」、京都に「六条河原院　讃」、金沢に「かなざわ紋」、北海道愛別に「粋人館」……。銀座・慎太郎グループの店々である。店名を列記しただけで、慎太郎ママは堂々たる経営者であることがわかる。

だが、こんなふうに語る。

「今の仕事はどちらかといえば私には向いていないんです。向いていないけれど、いろんな方にお会いすることと、楽しく過ごしていただくことが大好きだから、必死で努力しています。お酒、料理はもちろん、空間としての居心地よさ、スタッフの接客のクオリティ、うつわやお花で季節感を感じていただく、一流の方々が足を運んでくださるのですから、日々勉強、心地よく楽しく過ごしていただくために心を砕いています」

他人から見れば、実に多忙な日々を過ごしているが、慎太郎ママは、明日の予定しか見ない

店内の様子。気品あふれる静やかな空間が広がっている（「サロン・ド慎太郎」提供）

ように心がけている。明後日以降の予定を見ないことで、今の時間を楽しく生きることができるから。

「5分でも10分でも時間ができたら仮眠して、パッと起きたら着物に着替えて出かけます」

この明快さが、日々の生活に余裕を生んでいるのだ。

慎太郎ママは店のスタッフに、口うるさい経営者ではない。大上段に振りかざした人材育成などしないのだ。こうあるべしといった教育はしていないが、これだけは絶対に譲れないことをたたきこんでいる。

「元気に働けることに感謝、お客さまが来てくださることに感謝、お仕事があることに感謝、とにかく徹底的に『感謝の気持ちを表現する』ことだけは伝えています」

だれもが口にする「感謝」という言葉だが、口先だけなのか、心の奥部から出たものなのかで、相手への伝わり方もまったく違ったものになる。

「お互いが感謝し合う空間には、静かな幸福に満ちた空気が生まれます。ここにあること、集えることそのものが奇跡で『あることがたし』な偶然なんです」

クリュッグ売り上げ世界一を自負するサロン

慎太郎ママの生き方がそうだから、常連客たちも、そうせねばならぬといった思い込みからまったく自由な人たちが集う。だが、「サロン・ド慎太郎」のそんな空気が一朝一夕で生まれるわけはない。そこに至るまでには、地道な努力の積み重ねがあったのだ。

だからといって、がんばるぞ、などとこぶしをにぎりしめたりしない。慎太郎ママの日々の過ごし方は、当たり前のことを大切にしている。

たとえば、氏神さまへの毎日のお参りは絶対に欠かさない。たいていは自宅で玄米と野菜の質素な昼食を摂り、うつわのお店で各店の売り上げをチェックして、仕入れ状況を確認したら、出勤の準備。着物に着替えて客と食事に行くか、お店にまっすぐ顔を出す。このくり返し、つまり、ルーティンということを大切にしている。

「もちろんすごく努力していますよ。リーズナブルな金額で提供させていただくこと、季節感を大切にすること、本物にこだわることなど、自分の中でもルールはあるんです。そうやって丁寧に積み重ねてきた甲斐あって、クリュッグの売り上げ世界一のサロンになりました」

クリュッグは、数あるシャンパーニュの中でも最高級の品質として知られ「シャンパンの帝王」と呼ばれている。

大変な状況を先につくってしまうのも、慎太郎ママのスタイルである。これを自ら「不幸の前借り」と呼んでいる。

お店を出すには、相応の先行投資が必須になる。京都に料亭を出す前のことだった。妥協しない店舗計画を立案しはじめると、どんどん予算がふくらんでしまった。そこで、お店で「1億円足りないフェア」なるものを公言したのだ。

「こういうお店をつくりたいんですが、あと1億円足りないんですよ。夢を形にするためにお力添えをお願いします」と。

そして、慎太郎ママはこう付け加えてくれた。

「助けてくださる方に恵まれているのは私の強みですね」

「サロン・ド慎太郎」の常連客は、半分女性である。〝いい女〟が集う店だという。

「自分のお店がいちばん楽しいですね、お店に出るのが楽しいから、仕事と思ったことはありません。お店では家にいるよりリラックスできますから、とくに女性のお客さまは不安がないんじゃないでしょうか。甘えるのが仕事のプロがいますから。でも、感謝は忘れずにお礼だけはしっかりしています」

インスタグラムもはじめたおかげで、国内だけでなく世界中のマダムが訪れるようになった。

「若いころと違って、今はじっくりしているんですが、売り上げは2倍になりました。まさしく〝急がば回れ〟ですね」

一生懸命で真面目で、自分の年齢なんて考えずに全力で甘えて生きている。振り返れば「ありがとう（あることがたし）の毎日が重なっていた。

銀座には、こんなママが営む、ゲイバーのイメージを変える「ゲイサロン」がある。

今宵も「サロン・ド慎太郎」は、大好きな、大切な客とクリュッグで乾杯し、夜が深まっていくのだろうか。

【第三部】銀座村を愛する「酒・食・住」のバックヤード

序文

夜の銀座は、クラブやバーだけで成り立っているわけでない。日々の暮らしに必要不可欠なものが「衣・食・住」であるように、夜の銀座に必要不可欠なものといえば「酒・食・住」のバックヤードということになる。

まず「酒」について。素敵なママ、ホステスがいても、夜の銀座にはお酒がなければはじまらない。銀座のクラブやバーのお酒事情はどうなっているのだろうか。

酒に関しては、あまり表に出ることのない業務用酒販店についてふれる。匿名という条件で取材に応じていただいた社長の証言から、戦後の日本のお酒販売事情まで敷衍《ふえん》して、銀座とお酒の関係を探ってみた。

クラブと不可分の関係にあるのが、同伴であり、アフターであり、商談である。飲む前にまず腹ごしらえ、商談の下ごしらえというわけで「食」のバックヤードにふれていく。

クラブの扉を開ける前に食するのは、和食、寿司、イタリアン、フレンチなどさまざまだが、ここでは私の勝手な思い込みから同伴の王道といえば和食だろうということで、3店の割烹のお店の話をきかせていただいた。この3店は、銀座の「食」のタイプを代表しているといっても、言いすぎではないだろう。

「住」では、クラブ、バーのテナントビル事情に詳しい不動産会社の社長から、やはり匿名という条件で話を聞かせていただいた。やはり、銀座はほかの街と住事情（不動産事情）もいささか趣を異にしているようだ。

ほかの街と違うという意味では、「住」を彩る花屋さんにもふれている。

「夜の銀座」のバックヤードの「酒・食・住」は、まさに共存共営、共存共栄、共存共生の関係にある。銀座村の中で商売を営み、共に栄え、共に生きていることに喜びと誇りを感じていることがひしひしと伝わってくる。

店を出ていくお客を「行ってらっしゃい」と送り出すレストラン。クラブママや若いホステスの相談相手になり、ときに客さえも叱ってしまう割烹女将。「僕らのような店はクラブがあって、おまけで生きさせてもらっています」と、謙虚に包丁をにぎる和食店の大将。夫婦、親子で守ってきた味が銀座で愛されつづけている割烹。朝、昼、夜と憩いの時を紡いでくれる喫茶店。銀座の昼と夜を彩る絢爛豪華な花を届ける花屋さん……。「酒・食・住」のバックヤードの人たちは、クラブやバーと共に銀座で生きてきた、そして生きていく人たちである。

取材をしていると、クラブママがふらりと、同伴の客とホステスが笑顔で店に入ってきた。今日も、銀座の夜が動き出した。

お店とお客さま、そしてお酒のバランスこそ銀座の魅力

——業務用酒販店A社長

酒屋さんは銀座のお店の内情に精通している

銀座は、大人の男と女の出会いの場。そこに欠かせないのが、お酒である。お酒がなければ、瀟洒なお店のなかでの男と女の夢の売り買いも、恋の駆け引きもどこか味気ないものになってしまうだろう。

そこで、夜の銀座の「酒」のバックヤードである酒屋さんの証言から、銀座のお酒事情に踏み込んでみる。ここでは、あまり知られていない銀座クラブと深いかかわりのある業務用酒販界全般についてもざっとふれていく。

銀座で営業する酒販売店。さすがは夜の銀座、店内には高価な
酒がズラリと並べられている（本文の酒店とは関係ありません）

高級クラブママの証言。

「銀座のお店に限っていえば、だいたい酒屋さんが情報を握っているの。お酒の仕入れ量、支払い状況などをしっかり把握しているから、酒屋さんにはどこでもお店の内情が手に取るようにわかってしまうんです」

たしかに銀座のお店の隠れた素顔（実態）を、だれよりも知っているのは酒屋さんであろう。

高級クラブのお酒は、どこから仕入れられるのか？

どれだけの量と酒類を仕入れるのか？

客に好まれるお酒は時代によって違うのか？

高級クラブはどんなお酒の注文にも応えてくれるのか？

そんな素朴な疑問に答えてくれたのが、酒類業務用販売会社（業務用酒販店）のA社長である。

「銀座に供給されるお酒のことを知ってもらうために、酒販業界の変遷をざっくりとお話ししましょう」

A社長によると、半世紀以上前の昭和30年代のころは、まだ洋酒は輸入制限があり、どこのお店も入手に苦労していたという。いくらきれいな女の子をそろえても、お酒がなければ水商売は成り立たない。

では、クラブやバーはどうやって、お酒を仕入れていたか?

正規の関税ルートで入手するのがむずかしければ、闇のルートから仕入れることになる。もちろん違法の酒だが、当時の銀座の店で闇のルートに頼らなかったお店などなかったといわれている。

闇のルートのお酒の仕入れ先は、闇屋であった。どんな高級、一流のお店でも、闇の仕入れルートは終戦直後の進駐軍関係の流れものにはじまり、東京上野アメ横の闇屋などを利用していた時代があったのである。

舶来の洋酒類の輸入が自由化され、日本のクラブやバーが思いどおりの洋酒を扱えるようになるのは、昭和40年代に入ってからである。

町の酒屋さんが消えて業務用酒販店が登場

昭和の時代まで、お酒は、町の酒屋(小売酒販店)さんで買うものだった。その町の酒屋さんに代わって登場してきたのが業務用酒販店である。

そもそもお酒の販売には免許がいる。酒税徴収を安定的に確保するために、国税庁の監督下で1938（昭和13）年に酒類販売が免許制になって以降、卸業および小売販売業のいずれも、お酒を売る商売をするためには酒類販売免許が必須のものになっている。

最初に取り上げなければならないのは、大規模小売店舗法（大店法）である。大店法とは、1974年に「消費者の利益の保護に配慮しつつ、大規模小売店舗の事業活動を調整することにより、その周辺の中小小売業者の事業活動の機会を適正に保護し、小売業の正常な発展を図ることを目的に」制定されたものである。

この大店法は、まさに玉虫色の法律の典型で、規制と緩和のあいだを振り子のごとく揺れ動いて、結局2000年に廃止されているのだが、1980年代半ば以降、大店法改正によって酒類販売の禁止が解除されたことで、法律に振り回されながら酒販業界はドラスティックな変貌を遂げていく。

具体的には酒類小売規制の緩和によって、それまでの価格競争に持ち込まないという酒販業界の暗黙の〝ルール〟がほころび、値引き販売が活発化していくことになる。

その影響をもろに受けたのが、町の酒屋さんである。どこの町でも見かけた小さな酒屋さんが時の経過とともにどんどん消えていった。それでも、瀕死状態の町の酒屋さんのなかから、台頭してきたのが業務用酒販店だった。

やがて時代はバブル景気に踊った。飲食店、酒場が続々と新規オープンし、お酒の需要が大きく伸びていった。業務用酒販店はこの機を逃さず、積極的に営業攻勢をかけていった。

そして、バブル崩壊。バブル絶頂期に商売を目いっぱい拡大した業務用酒販店は、売掛金の回収が極めて厳しくなり、大きな〝不良債権〟を抱えることになった。そのため業務用酒販店は、営業利益を激減させていった。

業務用酒販店の売上が落ち込む一方で、急伸長してきたのが酒ディスカウント店（酒ディスカウンター）だった。酒ディスカウンターは、バブル崩壊後の消費者に低価格志向にマッチした「エブリデイ・ロープラス」による販売攻勢をかけ、またたく間に客を吸い寄せていった。

しかし、酒類販売に関する法律は、いつの時代も規制と緩和のあいだをゆれる。酒類量販店の新規出店を抑制する「酒類販売業免許等取扱要領」が実施されるも段階的に改正。１９９４年４月には、総合スーパーも酒類の低価格販売に参入してきたのだ。

〝六本木戦争〟が〝銀座戦争〟へと広がる

バブル崩壊後に勢いを増してきた酒ディスカウンターだったが、やがてそのままわが世の春に安住していられない事態が生じてきた。

1998年から酒販免許制度が段階的に緩和されて、2001年には販売店間に一定の距離を置く「距離基準」が、2003年9月には地域ごとに人口当たりの免許枠を定めていた「人口基準」がそれぞれ廃止された。

その結果、酒ディスカウンターで買っていた缶ビールや焼酎が近くのスーパーやコンビニで毎日安くまとめ買いできるようになったのだから、わざわざ酒ディスカウンターまで出かけなくてもよくなったのである。

2006年9月には、既存業者（小売酒販店）を保護する「緊急調整地域」の指定もなくなり、実質的に酒類販売への新規参入が完全自由化され、急成長した酒ディスカウンターは急降下していった。

そして、近隣の飲食店との取引から徐々に取引先を広げ、現在は数千件の取引先を擁する規模にまで成長している大手業務用酒販店の熾烈な戦いがはじまる。

業務用酒販店間の商戦もまた、他業界と同様に価格破壊競争、そして業務提携、吸収合併によって展開されていくことになる。

「酒販業界には〝4S時代〟と言われた時期がありました。4Sというのは坂口、さかい屋、佐々木、カクヤスさんのそれぞれ頭文字を取ったものです。カクヤスさんは社長の名前が佐藤ですのでその頭文字のSをとって」

〝4S時代〟の業界地図が塗り替えられていくきっかけは、先にふれた「距離基準」「人口基準」によって仕切られていた時代まで残っていた「おれたちの島内には手を出すんじゃない。おれたちもそちらへ越境はしない」という不文律の牽制関係が壊されることからはじまった。

こうした動きを、業界内では「六本木戦争」と呼んでいる。

仕掛けの中心はカクヤスだった。ナイト系に卸すお酒については、割引率に一定の基準が守られていた。その暗黙の了解を破り、値引き率を酒ディスカウンターと同等にしてしまったのである。値引きの一大攻勢を六本木のクラブ、ディスコ等に無差別で行ったことで、事実上業務用酒販店価格破壊時代が到来した。

この〝六本木戦争〟が、夜の銀座に飛び火して〝銀座戦争〟といわれるようになった。

年商1000億円の業界ナンバーワン企業に成長した「カクヤス」は、「宅配」と、その付加価値を高めた「1・2キロ商圏」戦略という独自のビジネスモデルを展開した。「カクヤス」が打ち出した「宅配」戦略は、「都内23区どこでも2時間以内で、1本の注文から無料で配送する」というものであった。この明快な戦略を実現するために地図を検証して、各店舗の配達圏を半径「1・2キロ」に区分けした。

当初宅配は家庭が対象だったのだが、飲食店への配達まで営業を拡大したことによって宅配の売り上げは倍増した。2017年には、流通網のさらなる充実に向けて流通センターを開設し、卸売業者からの納品を1カ所に集め、全店舗に自社配荷することができるようになり、コストをさらに落とすことができるようになった。流通センターの登場によって、業務用酒販業界は新たな競合時代を迎えたのである。

銀座クラブは超ヘネシー時代からウィスキーさらにシャンパンへ

ここまでのことを踏まえて、現在の銀座のお店と酒屋さんの関係に絞り込んで、冒頭にあげた素朴な疑問に答えていこう。

「以前の銀座のクラブはお客さまのどんなオーダーにも応えられるように、あらゆるお酒を在庫していました。それがママの、その店の矜持でしたね」

と、A社長。

客がどんなお酒を注文しても、応えられてこそ高級クラブ。だが、現在常にあらゆるお酒を揃えている店はまずないとのことである。そこで、臨機応変の対応がママの手腕、お店の底力ということになるだろう。

生き残った小さな酒ディスカウンターは、どうしたのか？　現在、繁華街用ディスカウンターとしてナイト系の店の要望に応えている。

銀座の通りを歩いていると、「信濃屋」「リカーマウンテン銀座777」「銀座屋酒店」……といった小売店の酒屋さんが目につく。たとえば以前スーパーマーケットだった「信濃屋」は、気軽に安値で現金で買える戦略を取っている。

銀座の雑居ビルの空き物件を倉庫代わりに賃貸して、そこにお酒を在庫して、電話1本で配達できる戦略を取ったのが「カクヤス」である。ほかの業務用酒販店も、このシステムを活用しているところがある。そこから注文があれば、お店へ迅速に配送できるようになっている。

さらに銀座クラブ専門の酒屋さんとして登場したのが「ソクハイ」である。いわば「信濃屋」と「カクヤス」を足して2で割ったような戦略を展開している。

高級クラブといえども、時には通常の業務用酒販店から運ばれてくるお酒では間に合わず、近くの〝倉庫〟に黒服が一本買いに走ることもあるそうである。

業務用酒販店の銀座クラブとの取引関係をみれば、中堅クラスで月商1店につき60万円ほど、繁盛店で1店3000万〜4000万円ほどである。1000万円というお店もある。

また、銀座のお店とお酒の取引をしているのは、業務用酒販店、酒ディスカウンターだけではない。酒類メーカーも営業をかけてくる。

「『わたし〝山崎〟いただいてよろしいですか』『〝響〟いただいてよろしいですか』などとママやホステスに甘えられたら、そのママやホステスは〝山崎〟や〝響〟の営業マンとのつながりが強いと考えていいかもしれません」

と、A社長。

洋酒メーカーの有能な営業マンは、高級クラブのママと強いつながりをもっている。

「銀座の高級クラブは超ヘネシー時代があって、ブランデーからウィスキーに人気が移り、いまはシャンパンですね。シャンパンの華やかさが受けているのでしょう」

と、A社長は続けた。

ヘネシーといえば、「VS」、「VSOP」、「XO」と格が上がり、高級クラブで頼めば100万円ほどもする「リシャール」まで飲まれている。華やかさに色を添える、モエヘネシーディアジオの「ドンペリニヨン」といった高級シャンパンがグラスに注がれている世界である。

その一方で、現在は単価の低い焼酎を銀座でも置くようになったことも、ひとつの変化といえるだろう。

最後に、夜の銀座と酒屋さんの望ましい関係について聞いてみた。

「お店に飲みに来るのと取引がバーター関係になるのは望ましいことではないですね。銀座のお店に業務用酒販店の社長が足を運ぶのは、基本的に赤字になると認識できるママのお店とはいいリレーションがつくれます」

そして、A社長は「感動」という言葉を強調した。

「お店の雰囲気、ママの人柄と酒揃いがしっくりと合い、飲み代にふさわしいその店の魅力をさらに引き立ててくれる、その店のお酒を飲むことがお客さまに感動を与えてくれるお店であってほしいですね」

そして「バランス」という言葉も。

「何よりもママ（お店）・ホステスとお客さま、そしてお酒のバランスが銀座ならではの魅力なのではないでしょうか。そして、それが一流の店の条件になる」

そう語るAさんの顔は、業務用酒販店の社長から、クラブの上客の顔になった。

銀座でお酒を飲むときは、グラスの向こうにどんな酒屋さんの思いが込められているか想像しながら飲むのも一興だ。

銀座は素晴らしい街、人の心を傷つけない街です

――レストラン「みやざわ」清水勲

創業37年、銀座に無くてはならないお店

銀座には、おいしいと評判の店、世間に広く名前の知れたシェフ・板前のいる店、従業員の応対の気持ちのいい店、とびきり瀟洒な造りの店、風雪に耐え歴史を重ねた老舗……さまざまな飲食店が居並んでいる。

そのなかに〝銀座に無くてはならない店〟という形容が、何より当てはまる店がある。その店の名は、銀座8丁目の一角にあるレストラン「みやざわ」。

存在すること自体が意義のあるレストランは、銀座でも稀有の存在といってもいい。言い換

銀座で働くビジネスマンや出勤前のママ、ホステス、客などバラエティー豊かな人々でいつも賑わっている「みやざわ」。銀座人の憩いの場である。

えれば「みやざわ」のような店が生まれて続いているのも、銀座ならではのことであろう。

思わず通り過ぎてしまうような目立たない店構えである。ガラスドアに店名が書かれた飾らない店の佇まいに、オーナーの人柄がにじみ出ている。

だが、銀座で遊んでいる常連客、銀座の夜を知り尽くした粋人・通人のあいだで「みやざわ」を知らない者はいない。いささか大仰にいえば「みやざわ」の「たまごサンド」を食することが、銀座で遊ぶ大人たちの通過儀礼のようなものなのだ。

店は、令和元（2019）年、創業37年を迎えた。百年余の歴史を刻んできた老舗というわけではないが、37年の「みやざわ」の歴史は、齢80歳を超えたオーナーの清水勲《いさお》さんの人生と重なっている。そのオーナーの人となりがレストラン「みやざわ」を銀座に無くてはならない店にしているのだ。

オーナーは筋金入りの「ミスター・オネスト」

清水さんは掛け値なしの「銀座人」のひとりである。銀座には、どちらかといえば、寡黙な人が多いようだ。なかなか取材をOKしてくれない。シャイな性格とも言えるのだが、銀座で生きていることの誇りと矜持をあえて口にすることもないと、認識しているところがあるようにも見える。とりわけ清水さんからは、その香りを強く感じた。

言葉少ない語り口には、どこか飄々とした好々爺の風情が漂う。終始風に柳の感じなのだが、これまでの人生は、大嵐に真正面から立ち向かってきた男がそこにいるという感じだ。ピンと人生に一本筋が通っている。頑固者、一徹者と言ってもいいかもしれない。

そう思わせてくれるのは、何度も口にした「真面目に、一所懸命に生きてきた」という本気の自負ゆえだろう。

「私は、酒、たばこ、女はやらない。人に迷惑をかけない生き方をこれまでしてきました」

さらりと口にした言葉に、清水さんをまさしく「ミスター・オネスト」と名付けたい気持ちになった。

「オネスト（HONEST）」という言葉は、正直、実直、信頼できる、真面目、ズルをしない、勤勉な人柄といった意味合いをすべて含んでいる。さらに、弱さと隣り合わせの正直さではなく、清水さんの場合は強さを秘めた正直さ、オネストである。

「私は学歴がないから、早く一人前の大人になることを考えていました」

学歴がないという言葉を、何度も口にした。韜晦《とうかい》を好む人間にありがちな謙遜の物言いではない。事実を語っているのだ。

学歴で勝負しない生き方を選んだ清水さんは、比較的早く経済的に自立できる職業は何かと考えて水商売の道に入った。

出身は四国高知県。地元の夜の世界でバーテンダーの職に就いた。20代で東京銀座に出てきてから、銀座でずっと生きてきた。

「バーテンダーとして、だれにも負けないつもりで働いていました」

温和な表情に包まれているが、負けん気は筋金入りのようだ。とある企業のオーナーや年長者にかわいがられ、真面目で、誠実で、勤勉な仕事ぶりを評価されてやがてクラブを任されるようになった。そのままナイト系の仕事で成功することもできただろうが、お酒に携わる仕事をずっと続けるつもりはなかった。

お酒に携わる仕事をしながら、清水さんはお酒を口にすることがなかった。バーテンダー業は、あくまでも生活の糧を得るための仕事であった。

家族ができたことが、清水さんにとって一大転機となった。将来のことを考えて、お酒にかかわる仕事から離れようと決意した。現在の「みやざわ」のオーナーになったのは、１９８３(昭和58)年、40代になっていた。

ゼロからはじめたわけではない。お酒ではなく、食事を提供するお店を持ちたいと思っていた清水さんに「お店をやってくれないか」と声をかけてくれたのが先代の「みやざわ」のオーナーだった。清水さんの人柄にほれ込んだのである。

店を引き継ぐ形で新しいオーナーになっても、以前と同じ場所で、店の名前も「みやざわ」をそのまま受け継いだ律義さは、いかにも清水さんらしいところだ。

人が止まる業と書いて、企業。創業以来の従業員は現在もいる

「みやざわ」には、親子二代で通って来るクラブママも顔を見せる。

「真面目にやらないと、生き残れません」

その言葉は、自分自身に向けられたものでもあり、お店に顔をだすママたちのためのものでもある。

「企業という字は人が止まる業と書くでしょう。うちは長く働いてくれる人が多いんです。たとえば、サンドイッチを作ってる従業員は創業以来のメンバーですよ」

このときばかりは、言葉にしっかり力がこもった。

人が止まる業だから、企業。清水さんの持論だ。開店当初から苦楽を共にしてきたスタッフとアイデアを出し合って目指した究極のカツサンドの味ひとつをとっても、その言葉に説得力がこもる。

人が止まる業を実践する清水さんの原点は、家族である。清水さんは無類の愛妻家のようだ。

子供たちも深く愛している。だからレストラン「みやざわ」は、清水家の愛情がそのまま店のカタチになっている。

現在は、次女のお嬢さんも清水さんの良きパートナーとしてお店を切り盛りしている。話をしていると、仲のいい親子であることが伝わってくる。

「みやざわ」は、清水さんのもうひとつのマイホームである。そう考えてみると「みやざわ」のドアを開けて入ってくる客たちは、それぞれもうひとつのマイホームでしばし休息するという感じが実にしっくりくる。

ひっきりなしに出入りする客たちは、さりげなく観察していると、コーヒーやサンドイッチを目当てに来るわけだが、清水さんの顔を見に来るという感じも否めない。

入って来る客には、わが家に迎え入れるおもてなしの笑顔。店にいるあいだは「みやざわ(清水家)」を訪問した客のひとりとなるのだ。店を出て行くときは元気に「行ってらっしゃい」と送り出す。手を振って出て行く客たちの背中は「よっしゃ、今夜も！」と、自分に言い聞かせているようだ。

銀座の夜食を支える〝バックヤード〟であり続ける

清水さんは、夜の銀座について軽薄な論評も批判もしない。こちらの誘いに簡単に乗ってこない。それでいて、銀座の変遷の真っ只中にて見るべきものはちゃんと見てきた。

「お金を気持ちよく使える人が減ってきたようです」

清水さんは、客とママたちの会話の中に絶妙のタイミングで加わるが、深入りはしない。すぐに身を引く。どんなときも出しゃばることはない。

客が変われば、ママやホステスが変わっていくのも時の流れである。

「リーマンショック以降は、同伴客が増えましたね」

それ以前は、どちらかといえば「みやざわ」で腹ごしらえをし、気合を入れていざ出陣という風情だったようだ。現在は高級寿司屋やレストランではなく、心安く憩える「みやざわ」を同伴場所にするというのも、交際費が厳しくなったことをはじめ時代の流れなのだろうか。

男たちも「みやざわ」で店の女の子を口説くためだけでなく、大事な商談の接待などの勝負の前に気持ちを引き締めてサンドイッチを口にする。

銀座という夜の世界は、一見女と男が建て前と本音を使い分けたうわべだけの時間が流れているように見えるけれど、その奥に隠した人間の本音が見えやすい場所でもある。そんな緊張のなかにいるクラブママやホステスたちも、清水さんの前では心安らぐひとときをすごしているように見える。

清水さんは彼女たちに余計なお節介の説教などしない。「行ってらっしゃい」と、優しく送り出していく。その声に送り出された女たちは笑顔を残していく。

銀座人をとりこにした〝名物たまごサンド〟

「みやざわ」は、クラブの出前ご用達の店でもある。また、客たちの手土産としても長年利用されてきた。

一番人気の「たまごサンド」をはじめ、「フレッシュベーコンとクリームチーズサンド」「牛ヒレステーキサンド」などキッチンは毎日、毎夜大忙しである。

12種類にもおよぶサンドイッチだけではなく、ハンバーグ、オムライスなども好評である。ミスター・オネスト清水さんが、決して譲らないのが味へのこだわりである。手抜きなど論外、創業以来のスタッフが「みやざわ」の味を継承し、さらに磨きをかける精進をしている。

持ち帰りのサンドイッチを頼みに客が来た。

客が出来上がったサンドイッチを持って帰ろうとする背に、「それじゃサービス料が取れないじゃないですか」と清水さんは冗談を飛ばす。自前で持ち帰った客のサンドイッチには「みやざわ」のあったかい心もいっしょに入っていたはずである。

名物「たまごサンド」。ふんわりと優しい口当たりで、あっという間に完食してしまった

腹が減っては戦ができず。

銀座の夜食を支えていく直接的なバックヤードとしてだけでなく、店を訪れる女と男の心のバックヤードとしても、「みやざわ」は無くてはならない店なのである。

「銀座はすばらしい街です。人の心を傷つけない街です」

「みやざわ」を訪れる常連客たちは、皆空腹だけでなく、心も満たされて夜の銀座に出て行く。

「すべて真面目に、一所懸命やってきたおかげです」

最後にまた、清水さんは同じ言葉を口にした。

愚直なまでに真面目さを貫き通してきた男は、これからも体と心の力を抜いて銀座の行く末を見つめながら、飄然とこの地で生きていくことだろう。

世界に「銀座」は一つ、しかないところです

――割烹「銀座　汁八」青木悦子

銀座を愛する心は、両親から受け継いだＤＮＡ

粋なおんな、気風のいい女、頼りになるおふくろさん。

割烹「銀座　汁八」の女将、青木悦子さんは、そんな女性である。並みの男では到底太刀打ちができない。ほどなく傘寿（80歳）を迎える年齢なのに、艶っぽさにおいても若さだけが魅力の女性は「負けました」と頭を下げることになる。

悦子女将は神奈川県横浜生まれ。浜っ子なのに、東京が大好きな少女だった。戦前は大田区大森に住んでいたが、戦災で家が焼けて横浜に移った。

「汁八」の青木悦子さん。クラブのママやホステスさんをはじめ、多くの銀座人に頼られる名物女将だ。

「誕生日の日などは横浜の街ではなく、東京銀座で遊びました。学校を出て丸の内の会社に勤めたので、よく銀ブラもしました。『女性自身』『週間女性』などの雑誌に紹介される銀座の女性にとてもあこがれましたね」

若き日の悦子女将は、流行のファッションと華やかな街の装いに胸ときめかせる健康で明るい女性だった。同世代の女性と大きく違っていたのはあこがれるだけでなく、実際に銀座で生きるようになったことである。

両親は社交ダンスを通じて知り合い、結婚した。時代を考えれば、モダンな家族だったようだ。その影響か、悦子女将もダンス好きである。そして、両親はそろって銀座好きだった。銀座好きのＤＮＡは両親から受け継いだようだ。

クラブママやホステスたちに頼られる肝っ玉母さん

悦子女将は、会社員時代にご主人と結婚し、１９６９年、現在の店を開いた。以来半世紀の歴史を刻んできたことになる。最初は店の手伝いからはじまった。飲食業などあなたにできないと言われた。客のもてなしとは無縁の人生を生きると思われていた人が、いまでは女将がすっかり板についている。オギャーと生まれたときから割烹の女将といった感じである。

開店当時の店は、日本家屋が並ぶ七軒通りと呼ばれていた場所にあった。銀座の街の様変わりは店の周辺も例外ではない。その過程をつぶさに見てきた悦子女将の目に映ったものは、どんな風景（心象風景）だったのだろうか。

「最初のうちはクラブのママがお客さまを連れて来てくれました。毎日きれいな人をタダで見られるんですから、こんないい商売はないと思いましたね。当時は60代、70代の年配のママたちもきれいでしたね。彼女たちとはこちらの接し方ひとつで仲良くなれるんです」

たとえば、飛び抜けた美貌とはいいにくいママ、どちらかと言えば妖艶というより男っぽい性格のママには「白いうなじがなんともきれいですね」と別のところを誉める。お世辞をいうのではなく、注意深く観察すれば、彼女たちは必ずどこかにチャームポイントをもっているものである。

ママやホステスたちと近づきになれば、彼女たちは胸襟を開いてくれる。聞き上手、頼られ上手の悦子女将は、彼女たちとのかかわりが深まるにつれて、自然と姐御あるいは母親のような存在になっていったのである。

銀座で働くあまたのママ、ホステスたちの中には、お手伝いさんや家政婦さんに子供のお守を頼んで働いている女性もいる。

「そんなママのひとりに『お子さんを預かっている家政婦ですけれど、風邪で熱を出してしまったので、病院に連れて行きたいんですけれど』と、店に電話が入ったんです」

そのとき、母親は客と食事をしている真っ最中だった。事情を呑み込んだ悦子女将は客の前でホステスが子持ちなどと、野暮なことは決してバラさない。

「今、お宅から電話が入って、お婆ちゃんが風邪を引いてひどい熱を出しているそうよ。あなた、今日はすぐに帰ってあげなさい」

と、ホステスを急きたてる。

「お婆ちゃんが熱を出したんなら心配だろう。おれのことは気にせず早く帰ってあげなさい」

と、連れの男性は男気のあるところを見せる。半分やせ我慢だろうが、時に男にはやせ我慢も必要になる。

こんなこともあった。

鍋料理を食べていた男性客と若いホステスが大ゲンカをはじめた。さりげなく様子をうかがう悦子女将。

「飲み代が75万円溜っているんです。私がなんとか40万円立て替えましたから、後なんとかお願いします」

と、ホステス。

「あ、そう、そんなに溜っていたのか。きみには迷惑をかけたね。わかった。それじゃ、今週

「汁八」の店内。肩肘張らない雰囲気のカウンターがいい

の土・日一緒に熱海へ行ってくれたら払ってやろう」

と、男客。

「それはないでしょう。せめて残りだけでも払ってください」

ホステスは侮辱された悔しさと情けなさで声が震えている。

「あんた、ちょっと待って」

と、悦子女将が口をはさんでしまった。

「女将には関係ないことだから、口をはさまないで」

と、バツの悪さを取り繕うとかえって虚勢を張る男客。

「いいから、何もいわずに帰ってください」

悦子女将は、ホステスの足に軽くふれてあなたは動くなと合図を送って続けた。

「あなたの名刺を出しなさい。弁護士を通して話をつけに行きますから」

男性客へ〝肝っ玉母さん〟の小気味のいい啖呵。

周りの男客たちはすっかり悦子女将の勢いに呑まれた感。そんなときも、女将は一人冷静である。ホステスを送り出してから、

「あの子、今日は同伴客を逃がしてしまったから、お店を教えるから行ってあげてね。あなたも、時間差で行ってあげれば、あの子喜ぶと思いますよ」

その場に居合わせた男たちは皆うなずいた。

実はこの話には後日談がある。

くだんの男性客は、その後も「汁八」に足を運んでいるのである。

「女将、あれは冗談だったんだよ。本気であんなこと言ったわけではないんだ。女将に怒られてしまって、こたえたよ」

と、照れ笑いのオチがついた。

客の妻も勇気づける心憎い気配り

どんな高級クラブであっても、ママには経験の浅い未熟な時代がある。それでも大事な客を

接待しなければならない。新人ママと客が食事をしている。会話がギクシャクして打ち解けた様子が見られない。互いに話が上滑りして少しも心に響いてこない。お互いにそう思っているのに、そのことにお互いに気づかないふりをしている。

男性客がトイレに立ったときに、悦子女将はさりげなく新人ママに耳打ちする。

「あなたにはいいママになってほしいから言うけれど、今のままでは長く続かないよ。いろいろ話がしたいから、明日店の賄い飯のときにいらっしゃい」

新人ママは、翌日、「汁八」の賄い飯の時間にやってきた。悦子女将と話をしてママとしてひと皮むけたことは言うまでもない。

若いホステスには、客との会話術を伝授する。

「お店のお客さまは一流企業の人たちばかりでしょう。お客さまの会社のことは新聞などに出ているから目にすることもあるわよね。お客さまの話を聞いているだけでなく、会社四季報や雑誌などから得た知識から、相手の会社のことであなたが気づいたことを誉めてあげなさい。男の人は自分の会社を誉められると喜ぶものですよ」

なにも経済や経営の知識をひけらかせといっているわけではない。客の会社に興味を抱いているという姿勢を伝えることが大事だということなのだ。ひいては客自身に関心があると、感じさせることにつながっていくことになる。

「汁八」の客も、悦子女将に救われることが多い。

「明日、妻の誕生日なんだよ」と、常連客。

「帰りにお花を買って帰って、奥さまに贈ってくださいね」と、悦子女将。

翌日、悦子女将に「昨日は、主人が大変お世話になりました」と、電話が入った。

「主人が誕生日に花を買って帰るなど初めてのことでした。うれしさの反面、ふだんとは違う主人の行動を訝って問いただしたら『汁八』の女将にアドバイスされたからと白状したんです。お心づかいほんとうにありがとうございました」

以来、花の常連客は「汁八」で飲んでいると言えば、妻は安心して送り出してくれると悦子女将に報告した。だが、男というものはお調子者である。「汁八」に寄ると言って、別の店に行っていたことがあった。

間の悪いことに、そんなときに限って「主人を出してください」と電話がかかってくる。

「遊びの口実にうちの店を使うなら、私とちゃんと口裏を合わせておくものよ」と、悦子女将はやんわりと花の客にお灸をすえる。

悦子女将が銀座に欠かせない存在になっているのは、この街の変遷と無関係ではない。

昔のクラブママたちは、ホステスたちをよく叱った。ときには手が出てしまうこともあった。

自分のためを思ってきつく言っているることがわかっているので、ホステスたちも叱責に耐えて、銀座の女として経験を積んでいった。

ところが、今では、ママがちょっと注意をすると、「辞めさせていただきます」とほかの店に移って行ってしまう。そんな女性は他の店でも長続きがするわけもなく、やがて銀座から姿を消してしまうのだ。

現在、店の女の子と話がしたいと思うママは、「汁八」に連れて来る。実際に話をするのは悦子女将なのである。ママと若いホステスを前にして、女将はいろいろな話をしてあげる。

「ママが直接言えば角が立つことも、私が言えばワンクッション置くことになるから、女の子もよく話をきいてくれるの。その意味では年を取るということはいいことなんですよ。私は60歳のときに70歳だと言っていましたから」

説教がましくなく話し上手の悦子女将は若いホステスをママ代わりに諄々と諭したあと、「ママの店を継ぐくらいの気持ちでいなさいね」と、背中を押してあげる。

「銀座は、客がホステスを育て、ホステスが客を育てるところなんです。だから『いいお客さまに育てないとダメよ』とか言ってあげるんです」

話をするタイミングも臨機応変、客とホステス二人を前にして話すかと思えば、客がトイレに立ったときにホステスに話す。その逆の場合もある。気心の知れあったホステスになると「今日は怒られることありますか？」と軽口をきけるほど心を許すようになる。

長寿国日本ならではの客と悦子女将とのエピソードもある。あるとき、大手建設会社の部長さんが妻を連れて「汁八」を訪れた。

「部長さんの奥さまが『私、ガンなんですよ』と、静かに話しだして、こう続けたんです。『そのうち子供たちは家を出て行くでしょうし、私が死んだあとのこの人のことが心配なんです。掃除ひとつさせたこともないんです。家のことは何もできない人ですから。そこで、厚かましいお願いなんですが、この人がハイレベルな配偶者と出会えるお見合いコーナーのようなところを女将さんに探してもらえませんか』と言われたんです」

自分がガンで余命がいくばくもないにもかかわらず、夫のことを自分のことよりも心配している妻に、悦子女将は心を打たれて奔走した。

しばらくして、部長さんは亡くなった妻の願いにふさわしい女性に出会い、彼女を連れて「汁八」を訪れた。

「女将さん、安心してください。この女性《ひと》となら仲良くやっていけますよ」

と、部長さん。

「いつもその席にご夫婦でお座りになっていたんですよ」

と、悦子女将。

「(そんな場所に)自分が座ってもいいいんですか」

と、新しい伴侶となるべき女性。

後日、奥床しさとしとやかな強さを備えたその女性は、亡妻に深く愛された男の新しきよき伴侶となった。

「彼女なら、クラブママも務まるでしょうね」

と、目を細めた悦子女将は、月下氷人の役割さえも担ってしまうのだ。

昭和の大女優に愛され、〝暴れん坊将軍〟が板場に挨拶をする

「汁八」は、昭和のスターたちに愛されてきた店だ。

「汁八」を語るときにかかせないのが、昭和の三大女優である。森光子、山田五十鈴、杉村春子、日本の演劇史、映画史に残る三人の大スターだ。

三人の中ではいちばん若い森光子とでも、悦子女将は21歳の差があった。森光子が悦子女将にいつも語るのは、戦争の話である。そんなとき、話しながら必ずうっすら涙を浮かべる。

戦時中は、生きて還らぬ若き特攻隊兵士の前で歌を歌って送った。今生で聴く最後の歌が森光子の歌なのである。そのときの想いは本人しかわからない。

戦後はPX（アメリカ軍隊内の売店）の米兵たちのダンスにつき合わされた。占領下で銀座

の松屋、服部時計店などはＰＸとして接収された。米兵は赤鬼、口をきいてはいけないといわれていた時代である。米兵はコンビーフをくれたこと、暮れの餅つきの時期になると白人、黒人を問わず自分たちにも叩かせてくれと仲間入りをしてきたことなどもよく覚えていて話してくれた。そして、〝戦後〟を体現している悦子女将は、お叱りを受ける。そのお叱りは、若い世代への期待と希望を込めたものであった。

「だって、みっちゃん（悦子女将は森光子のことを親しみを込めて、ときに甘えてそう呼んでいた）とは21も違うんだからしょうがないでしょ」

と、悦子女将は笑って言い返す。

「店を閉めて深夜に自宅に帰り、洗濯物を干していると、近くの森光子さんの住まいの灯りが見えるんです。ああ、まだ起きているんだなって。翌日、『あなた、洗濯物を干していたでしょ。寂しいね』などと電話がくるんです。見ているわけはないんですけれど、生きていることにふっと寂しくなる気持ちをわかってくれるんです。心遣いの細やかな人だったんです」

山田五十鈴とのお付き合いも長かった。

「みんなの前では山田先生で構わないけど、二人だけのときは〝かわいい、かわいい五十鈴ちゃん〟って呼んでね〟と、甘えるんです」

あの大女優がそんな隠れた素顔の一面を見せるのは、悦子女将だからであろう。

多くの著名人に愛される「汁八」。壁にはサインがところせましと飾られている

「杉村春子さんは、どんなときも杉村先生と呼んでいました。圧倒的な存在感がありました」

その杉村春子が、森光子と山田五十鈴を前にして、こんなことを言ったことがある。

「私たちはみんな女将さんにお世話になっているのだから、何かお礼をしなければ。女将がいちばん喜ぶ着物をあげなさい」

だから、悦子女将は三人からいただいた着物や帯を宝物として大切にしている。すでに鬼籍入ってしまった三人の心と一緒に。

俳優、芸人の男性陣も「汁八」を訪れる。

「長年贔屓していただいているのは、東京に出て来たとき必ず寄っていただく西川きよしさん。それに私の大好きな松平健さん。『暴れん坊将軍』は必ず観ています。勝新太郎さんのお弟子さんだったでしょ。実に甲斐甲斐しく勝さんに尽くしていました。お一人で食事に見えられたときは、帰り際に板場を覗いて板長に『とてもおいしかったです』と挨拶をしてくれるんですよ」

松平健が明治座などで芝居をしているときは、必ず野菜の差し入れを忘れない。

「芝居の興行中はどうも野菜不足になりがちですからね」

まるで姉さん女房の心遣いのようである。

銀座のいい店には、いい客が集まるということである。やはり、銀座には銀座ならではの一流の人と人とのふれあい、お付き合いがある。

今も昔も、これからも銀座をこよなく愛す、銀座族

悦子女将は〝銀座愛〟では、人後に落ちない。それだけに銀座を語る言葉には、愛情を隠した手厳しさもある。

「これからの銀座は、私たちの世代の生き方が重要です。カッコよさにとらわれたい。かっこよさにこだわってほしいですね。目いっぱい気取って銀座に来てください。世界一の銀座ですから。銀座で生きていること、銀座族であることを誇りに思っています」

クラブママやホステスたちに改めて伝えたいことを聞いてみた。起点は銀座にはじまり銀座

に帰ってくる。

「銀座は世界に一つしかありません。銀座で働く女性たちは、自分のこと、自分のお店のことだけでなく、銀座そのものを考えてほしいです。ホステス同士、お店同士で客の取り合いなどしてほしくない。馴染客がほかの店に行っても、気持ちよく送り出してほしいんです。銀座の空の下からお客さまを六本木や新宿にもっていかれないようにしないと。以前と比べれば、たしかにお客さまは変わってきています。銀座族の人たちがお客さまを連れて来てくれましたけど、そんな光景がずいぶん少なくなりましたね。それを嘆いてみても何も変わりません。まずママやホステス、自分たちから変わることが大事でしょう。銀座で飲んでいるからこそ、また仕事に向かうエネルギーが生まれるんです。今日はここ一番の勝負時というときは、ママもホステスもお客さまもみんなつるんで、〝銀座族〟になる。それが銀座の活力源ですから」

銀座クラブママを、ホステスを、そして、銀座の街を見守る悦子女将の意気はますます軒昂である。今日も、店内に艶やかな所作が泳ぎ、笑顔がこぼれる。

悦子女将にゆっくりと体を休める日々は、傘寿をすぎてもまだまだやって来ない。

美味しい料理のためなら原価率8割、9割かけても

――割烹「酒と味　大羽」大羽耕一

海を知らずに育って、海に、魚に、あこがれた

大羽さんは、信州生まれで信州育ち。生まれ故郷を出たことがなく、だから、ずっと山に囲まれた暮らしで海を見たことがなかった。

「修学旅行で江の島に来て、初めて海を見たんです」

海の広さ、大きさに圧倒された。海には魚がいる。海へのあこがれは魚へのあこがれにつながり、魚へのあこがれは「料理人になりたい」という想いに結びついた。

純粋さを絵に描いたような少年だった。そして、古希を過ぎた現在も、自分の生き方を曲げ

「酒と味　大羽」の店主、大羽耕一さん。銀座に店を構えて、約 40 年。舌の肥えた銀座人を愉しませてきた。

ずにそのころの純粋な気持ちを持ち続けている。大羽さんと話をしていると、純粋さというのは若さだけの特権ではなく、生きる姿勢なのだということがわかる。

料理人への漠然としたあこがれは、高校受験を迎えたとき、はっきりとしたカタチになっていた。やりたい仕事は、海を見たときから心に決めた料理人、そのことにいささかも迷いはなかった。

とくに勉強好きな中学生だったわけでもなかった。イスに座って黒板を見つめ先生の話を聞いてノートに書きこんでいく時間よりも、早く社会に出て手に職をつけるための時間を大切にしたかった。だから、高校受験に落ちたら、そのまま料理人の修業に入るつもりでお目当ての店に頼みこんでいたのだが、高校に合格してしまった。受験に合格してしまったというのはおかしな表現だが、早く修業をしたかった大羽さんの心情は喜び半分の複雑なものだったのではないだろうか。そして、高校卒業後（3年間のがまんを経て）、念願の料理人の世界に足を踏み入れたのである。

どの世界でも修業というものは辛く、厳しいものだが、魚と触れ合う日々は大羽さんにとってはむしろ楽しい時間だった。

「主人は見習いの自分を毎日築地に連れて行ってくれました」

だが、一流の料理人の料理に触れたい、早く一人前の料理人になりたいと修業に励んでいた大羽さんは、魚とばかり向き合っている生活に何か物足りないものを感じるようになった。

「京都のお店に修業に出たんです」

京都でみっちり和食の修業を積んできた大羽さんは、それから銀座で性根を据えた料理人人生をはじめたのである。

コース料理ではないトッピングの和食の店を

「最初はコリドー街に店を持ったんです」

現在の場所に店を移したのは11年前からである。

「銀座に店を構えて今年1月で39年になります」

約40年、しっかり銀座に根をおろした老舗の料理店・割烹のひとつと言っていいだろう。料理専門誌にも店の名前が紹介されるようになった。大羽さんの人柄と大羽さんの料理が好まれ、愛されてきたのだ。

「和食というとコース料理が中心になるじゃないですか、私は和食でトッピングの店にしたかったんです」

トッピングの和食とは、大羽さん独特の表現である。アイスクリームやピザならわかるのだが、トッピングの和食とは？

和食でも洋食でも中華でも、メニューはコースの料理と一品料理に大別される。コース料理は料理人、シェフのお任せ料理になる。一品料理は客が好みのものを一品ずつ注文できる料理（アラカルト）のことである。

「大羽」は一品料理の和食店と言ってしまえば、身もふたもない。大羽さんがトッピングの和食という言葉に込めた意味は、もっと熱く、深い。トッピングという言葉は上飾りをするという意味で使われるが、仕込みの段階で入れるもの、混ぜこむものすべてを意味する。

注文できる一品料理は、お造り、煮物、焼き物、揚げ物など豊富なメニューが用意されているだけでなく、きんぴら、ポテトサラダなど家庭料理から、ふぐ、からすみなど高級食材、珍味に至るまで量と質を併せ持って客の注文に応じる。

つまり、選りすぐった食材、磨き抜かれた技を混ぜ込むだけでなく、臨機応変に客の好みにも応えたい大羽さん独特の和食に対するこだわりと思い入れが〝トッピング〟という言葉に込められているということなのだろう。

大羽さんの次の言葉をつなげてみると、「和食でトッピング」といった心がよくわかるのではないだろうか。

「美味しい和食をつくるためには、何より食材が決め手になります。満足できる、納得できる食材が手に入るなら、極端ないい方をすれば、原価率が8割、9割かかってもいいと思っています。儲けはわずか1割でも」

食材（とりわけ魚）の目利きも鋭い。築地時代も、現在の豊洲でも「大羽さんは魚の良さがわかっているだけでなく、実に丁寧に料理に使ってくれる」と、仕入れ業者も大羽さんへ厚い信頼を寄せてくれる。いい魚の目利きができ、儲けを優先せずに美味しい料理で客をもてなす大羽さんだから、仕入れ業者もとくに良質な魚を提供してくれる。良質な魚を使った大羽さんの料理に舌鼓を打った客の評判が高まれば、ますます価値ある魚を大羽さんのために用意してくれる。そんな相乗効果によって、これまで大羽さんも仕入業者もずっとウィンウィンの関係を深めてきたのである。

でも、大羽さんはポロリともらした。

「女房と二人だけでやってきたから、できたことです」

「大羽」は夫唱婦随の店なのである。

クラブがあっておまけで生きさせてもらった

「同伴客が店の女の子に何が食べたいかと聞くと、和食よりイタリアンかお寿司屋さんに行きたいと答える子が多いそうです」

和食といっても、銀座で遊ぶ通人には、裃を着て食べに行くような堅苦しい店ではなく〝玄人芸の業が光る家庭料理〟が好まれているようだ。

だから、今も変わらずに通人たちは「大羽」の味を求めてやって来るのだが、近ごろ大羽さんは、同伴相手の女の子には和食の敷居が高くなっているのではないかと、ちょっぴり寂しい気持ちになっている。

「気軽にコンビニなどで食事を済ましてしまい、自分で料理する機会も少なくなっていることも影響しているのでしょうかねぇ」

当世風といえばいいのだろうか、お店で食事をしてくれる女の子たちから、よくこんな質問をされる。

「このお料理お砂糖は何CC、お醤油は何カップ入れるんですか、などと聞いてくるんです。そんなこと聞かれてもこたえられないよ。料理番組じゃないんだから(笑)。すべて経験でやっているとだし」

料理に興味を抱いてくれる女の子は、まだ希望がもてる。いつか「大羽」の味を覚えて自分なりの料理ができるようになることを期待したい。

当世風と言えば、こんなエピソードも話してくれた。

カウンターの中に立つ大羽夫妻。夫婦二人、二人三脚で約40年続けてきた

ある日「大羽」で同伴客が女の子がやって来るのを待っていた。

「その女の子（ホステス）が、約束の時間に遅れてきたんです。お客さまはどうしたと思います？　きっぱりと『同伴の時間に遅れて来るような子とは飯は食べたくない』と叱ったんです。同伴に遅れてくるような子でママにまで出世した子はまずいませんね」

叱りたい思いは、大羽さんも同様だったであろう。

話から感じられる大羽さんのクラブママやホステスに注がれる目は厳しく、そして慈愛を湛えた父親のごとくである。

お店は8席、小体な大人の隠れ家といった感じの店である。

だから、同伴同士「みんなに見られている」

ことになる。意識しなくても、お互いの様子が見えてしまう。客の立場になれば、連れていて恥ずかしい子とは食事をしたくないと思うのは人情であろう。

和食の味がわかれば、女の子もひとつ大人の女になる。同伴のくつろぎのなかにも緊張感が漂う時間があるのだ。

「以前はきちんと教育された子が来ていましたね」

女の子の心がけはもちろんのことなのだが、店の女の子をきちんと教育できたママがいたということだ。

「ひと昔前のクラブママは何より上品さを具えていましたね。夜の世界に入ったきっかけも弟を大学に行かせるために自分が犠牲になるというように、自分の享楽のためのお金稼ぎではなく、だれかのためにという気持ちを強く持っていました。見栄えの美しさだけでなく、中身を磨くことを怠りませんでしたね。本もよく読んでいました。上品さに知性と教養を兼ね備えたママが多かったですね。それが本来の銀座クラブママです」

クラブのママは時間の余裕ができたときなど、「どうやって時間を過ごそうか、そうだ、『大羽』に行ってみよう」と、ふらりと顔を出したりした。

大羽夫妻とクラブママ、そこで交わされる何気ない会話が得も言われぬ銀座らしさをかもしだしていたのだろう。

「同伴客といっしょの出勤前のクラブママ同士が鉢合わせをしてしまうようなこともありましたよ。でも、お互いに大人ですから、おうように笑みを交わし、平然としてパッシングなどなしです（笑）」

しばしの沈黙が流れた。

「ぼくらの時代は終わったね」

大羽さんは、さらりと口にした。

昔はよかったのだと感慨を込めた、感傷的な物言いではなかった。銀座を長年しっかり見据えてきた目と心が言わせた言葉だった。

「ぼくらのような店はクラブがあっておまけで生きさせてもらったんです。同業者でも、そのことをそれほど深く考えない人もいます。自分（自分のつくる料理の味）だけでお客さまを呼べると思っている」

客へも、苦言をひと言。

「傍若無人にカラオケで歌っているお客さまがいるでしょ。素人は3番まで歌っちゃいけませんよ。テレビで歌っている本職の歌手だって2番までしか歌わないんだから」

夜のお店があり、ホステスたちがいて、客がいて、料理店があり、そこに夜の美味なひと時が流れる。そんな時間の流れが、銀座本来のものなのだということだろう。

作家やメジャーリーガーに愛される店

店の片隅に、作家の伊集院静の筆になる色紙が控え目に置いてある。そこにはこう書かれていた。

「やや昔　夏彦　酔える　小店あり」

夏彦とは随筆家、評論家で知られた山本夏彦のことである。

その色紙の上に、アートディレクター、グラフィックデザイナーだった長友啓典の「大羽」店内のイラストが飾られている。お店の雰囲気を的確にとらえた味のあるイラストである。

そして、その脇に、巨人、ヤンキースと活躍した松井秀喜のサイン入りボールが飾られている。ただのサイン入りボールではない。あのワールドシリーズを戦ったときの松井選手のサインボールなのである。

「秀さんは巨人の時代からの常連です。うれしいことに、ぼくら夫婦のことを〝東京のお父さん、お母さん〟と呼んでくれるんですよ。彼の試合を観るために、9回ニューヨークに行っています。ワールドシリーズのときは店を閉めて、2日間のためにニューヨークに飛びました」

帰国するたびに顔を出すのだろう。松井秀喜のサイン入りボールはいくつもあった。

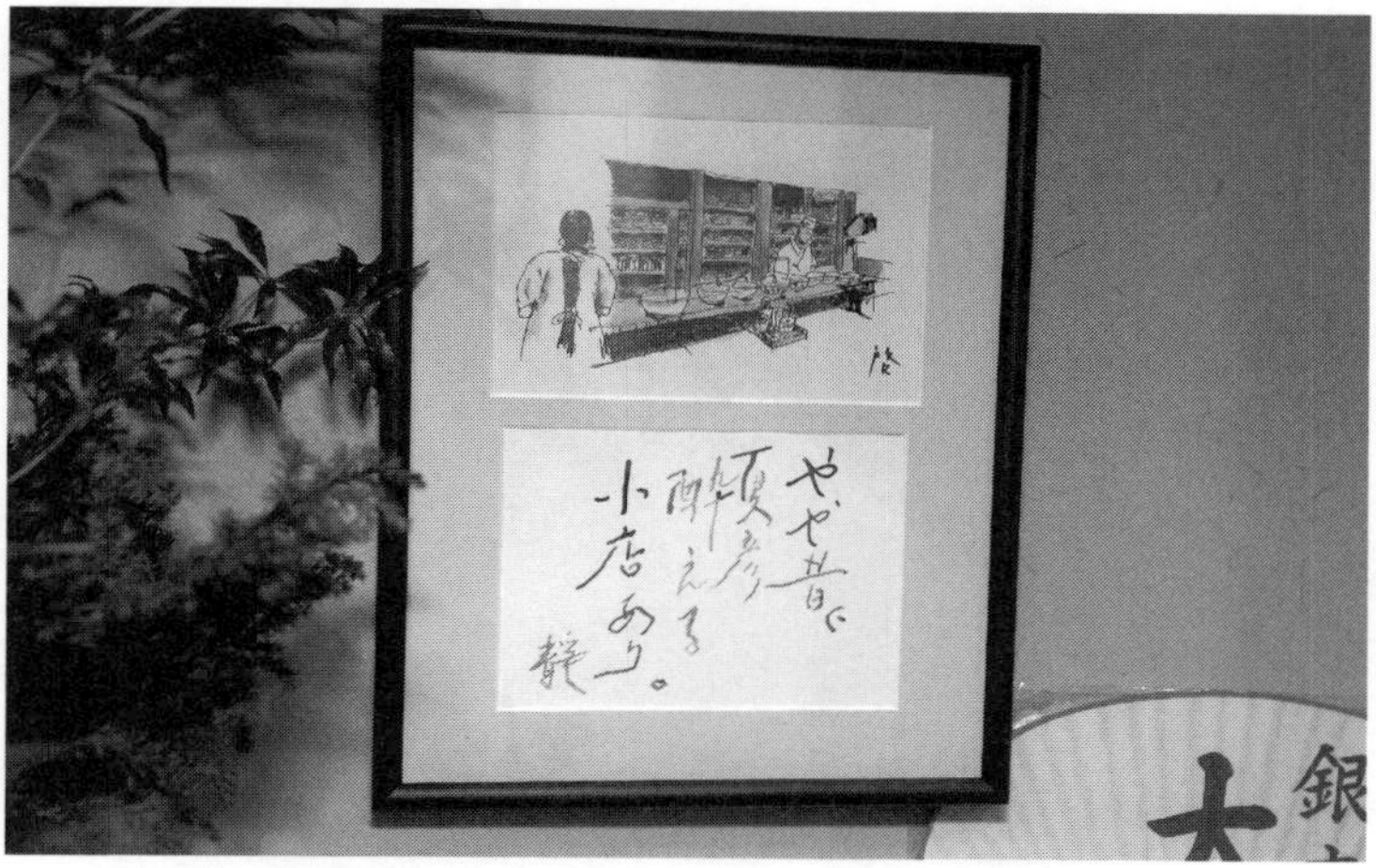

長友啓典の「大羽」を描いたイラスト。下には伊集院静の色紙が飾られている

伊集院静の色紙、長友啓典のイラスト、そして松井秀喜のサイン入りボールが置かれた一隅は「大羽」の〝小さな聖地〟のようであった。

小店を愛した山本夏彦も、長友啓典もすでに鬼籍に入ってしまった。

「ぼくらも終活に入ってきたね。少なくともあと2年は元気でやっていこうと思っていますよ。仕事の満足感は十分感じています。自分はまだまだ体は丈夫だけれど、ずっといっしょに働いてきたカミさんを休ませてあげたいんだよ」

若い料理人を育てたい

「店はおれの城。家は妻の城」

大羽さんは、そう言い切った。店では一国一城の主である大羽さんだが、家に帰れば城主の奥さんに気配りを忘れない。

「休みの土日は、カミさんの時間を邪魔しないように外に出かけるようにしています」

それでも、日曜の夕食は家で一緒に食事をする。

「ここまで（店を）やってこられたのは、やっぱり正直、真面目にやってきたからだと思っています」

その言葉に、素直にうなずけた。

「和食の若い職人を育てていきたいですね。この店で」

終活なんてまだまだ早い。お手本として、真面目な料理人を導いていってほしい。

「これからひと風呂浴びに行くんですよ」

大羽さんは用意してある風呂道具を手にして立ち上がった。

「近くの『金春湯』は65歳以上の中央区の住人は１００円なんです」

店を出て、金春湯まで同行した。金春湯の開業は１８６３（文久３）年。いまや銀座に残る唯一の銭湯である。

「ちょっとここを見てください」

風呂屋の土足入れの前に立てられた木札に「わ」と書かれていた。大羽さんはクルリと木札を裏返した。「ぬ」と書かれていた。

「これも、銀座の粋なんです」

勘のいい方ならおわかりだろう。「板に〝わ〟」で「風呂が沸いた（お風呂に入れます）」、「板に〝ぬ〟」で「湯を抜いた（今日はおしまいです）」の意である。

ひと汗流して心も体もリフレッシュしたら、身支度を整えて今夜も笑顔で大羽夫妻は客を迎え入れる。

ビルの3階、ちょっと敷居が高そうに見えるが、店内に入れば厚い人情と美味しい料理が身構えた緊張感をやわらかくほぐしてくれる。

変えるつもりはないけど柔軟さは失わない

——割烹「かすが」春日礼子

夫婦で、親子4人で、そして母娘へ

根っからの和食大好き家族である。

「父は若いときから和食に興味があったんですよ。修業先のお店で母、親江《ちかえ》と出会って、結婚したそうです」

テレビドラマのような話だ。若かった2人は修業の道の遠さを支え合い、仕事が終わればいろいろな夢の話をしていたかもしれない。

話をしてくれたのはお嬢さんの礼子さんだった。

割烹「かすが」を切り盛りする、母・親江さんと娘の礼子さん。
あたたかな家庭料理を求めて訪れるファンも多い。

「かすが」のご主人・春日照夫さんは、一徹者、反骨者という表現がピッタリ当てはまる男性のようだ。話を聞いているだけで、料理に対する厳しさ、激しさを具えた人物だとわかる。写真で見ると温厚そうな風貌だが、目の奥の光がその激しさを語っている。その厳しさ、激しさは、料理への深い愛から発したものであることも。

礼子さんは、そんな父親の姿を物心ついたときから見て育ってきた。父親に寄り添い、ずっと歩んできた母親の姿も。礼子さんにとって二人はかけがえない肉親であると同時に、料理(和食)の師匠でもある。礼子さんも、父母と同じ道を歩いているのだから。

「かすが」の家庭料理は家庭の温かみ、愛情が感じられる。だから、馴染客たちはだれもが舌鼓を打つ。そして、わが家に居るがごとき安らぎとくつろぎを感じているのだろう。

「中学受験の面接のリハーサルのときに、よくされる質問だと思うんですが『尊敬する人はだれですか』と聞かれたんです。私は即座に『父です』とこたえました」

面接の先生たちが、予期せぬこたえに戸惑った様子を礼子さんは今でも覚えている。大方は歴史上の人物とかメディアに登場する著名人の名前を挙げるからだ。

「知りもしない、逢ったことも人をどうして尊敬できるんですか?」

と、礼子さんは逆質問してしまったそうだ。

「かすが」は、観光街となる前の古き銀座の香りを漂わせた路地から路地へと店を移り、現在の場所が4軒目である。お店を移った経緯にはそれぞれにドラマがあるのだが、ここではそのことに詳しくはふれない。

新しい「かすが」は、ご主人の春日照夫さんは体調を崩したため、現在は母と姉妹の3人で馴染客、新規の客を迎え入れている。

「子供のころは、妹の智子《ともこ》のほうがよくお店の手伝いをしていました。縁があって嫁ぎましたが、今も毎日お店に来ています。彼女にとっても、このお店、そして銀座に対するおもいは私と一緒だと思います。彼女の子供たちも大掃除のときなどはお手伝いに来てくれます。親から子へそして孫へと『かすが』はつながっていくのでしょうね」

今回の取材でも「お母さまも話をきかせてください」と水を向けたのだが「すべて娘に任せるから」と微笑んだ。親子の情だけではない。「かすが」を代表して話す長女の礼子さんに商売人としての信頼も寄せているのだ。

父親の料理人魂、商魂は今も変わらない

同伴、商談のために馴染客、常連客はなぜ「かすが」を訪れるのか。

礼子さんは「クラブにくり出し、ママやホステスたちの力を借りて商談をまとめるんだ」と、

父親が話す言葉を耳にして育った。

「うちのようなお店は、昼間できない話を夜にする社交場の役割を担っているんです。美味しい和食を食べるのは、エンジンをかけるためなんです。エンジンの回転数が十分に上がってからクラブに向かいます。クラブでは、お酒という人間関係を円滑にする潤滑油が入ってフルスロットル状態になり、商談がまとまるという流れになるのではないでしょうか」

それが、変わったけれど、変わらない銀座のスタイルなのだ。

「勘定をもらうまではお客さまじゃないというのも、父の口ぐせでした」

聞きようによっては、ずいぶん傲慢な物言いのようだが、これも言葉どおりに受け取ってはいけない。

カウンターをはさんで料理人と客は真剣勝負をしている。客が「うまい」となったときに、勝負がつく。そのときラグビーでいえば、試合が終わってノーサイドになって敵味方が肩を抱きあうように、客は満足して勘定を払う。そんな清々しい商いをしているのだという、ご主人の自負から出る言葉なのだ。

現在、ご主人の味は奥さんに受け継がれている。ずっと夫の手元をみてきた妻には、夫のつくる味は自然に自分の味となっていたのだ。それは、父を見て、母を見てきた礼子さんも同様である。

銀座は第二の故郷、人生、命の一部

4軒目の「かすが」には、カウンター席だけでなく、テーブル席もある。それまでは客の様子が手に取るようにわかるカウンターのみでの商いをしていた。

「テーブル席ができたので、接待のお客さまも増えました」

接待客ばかりではない。馴染の同伴客も。「かすが」に食べに寄るママやホステスたちは、和食党が多いようだ。

「金曜日になると、和食が食べたくなるの」

「女の子たちにも宣伝しておくね」

そんな女の子たちに慕われ、贔屓にされてきた源は、ご主人の人柄であり、味である。そして、現在、父親の人柄も、味も母と娘にしっかりと受け継がれている。

「銀座のクラブはもとより、女性を大事にしないとうまくいきませんね」

ずっと銀座を見てきた礼子さんの実感である。

「女の子一人が来ることもありますよ。ビール一本を飲んで『今日はなんだかお店に行きたくないな』なんて甘えるので、何を言っているの、ちゃんとお仕事をしなさいと送り出すんですけれど」

礼子さんは、夜の銀座の立派な姉貴分になっていた。

「夕食食べそびれちゃったから、ご飯食べさせて」

と、飛び込んでくるホステスもいる。

だれもが、わが家に帰ってくる感じなのだろう。

「現在の『かすが』は女性だけでやっているから、女の子たちも入りやすいんじゃないですか。明るく清潔感のあるお店にしたかったので、そんなところも女性に気に入ってもらっているのかもしれませんね」

礼子さんは謙虚さを忘れない。

「銀座は第二の故郷ですね。人生イコール銀座です」

幼いころから、店に顔を出していた。馴染客にもずいぶん可愛がられた。

「私の小さかったころはクリスマスとなると、大変でした」

客からクリスマスケーキのプレゼントが、自宅に積み上げられるからである。大きなケーキとなると、小さなテーブル並みの大きさにもなったそうだ。

ケーキを持って来てくれた馴染客は、今では礼子さんの料理に微笑む。

「父はよく女の子を叱ったり、意見をしたりしていました。そんなとき女の子は二通りの反応を見せますね。怖がってもう来なくなる子と、『お父さんに言われて直しました』と言ってくれる子と。そういう子はヘルプからみんなママになっています。チーママになるので、お花を出してもらっていいですかと遠慮がちに言ってくる子もいました。私もわが事のようにうれしかったですね」

味だけではない。銀座で店をもつことの心構えも、礼子さんは継承している。

「父はよくお客さまに恥をかかせてはいけないと説教していました」

日本のよさを変えてはいけない

「和食が世界遺産に登録されましたね。和食に代表される日本のよさを変えてはいけないと思っています。こんな小さな店ですが、その心はいつも忘れずにいます。父と母がつくり、私が覚えて来たものを変えるつもりはありません。でも、柔軟性をもってお店を経営していくつもりです」

銀座は社交場だというのが、礼子さんの持論だ。たとえば「かすが」は禁煙ではない。

「煙草は銀座の暗黙のルールのひとつとして成り立っています。ただ、香りの強い葉巻とパイプはご遠慮いただいています」

現在、どこの飲食店に行っても全席禁煙が大手を振っている。

「すべて黒か白かではなく、グレーゾーンがあってもいいのではないでしょうか」

カウンター席で煙草を吸いたそうな客がいた。でも、なかなか言いだせない。

「煙草、お吸いになってもいいんですよ」

ちょっと驚いて、礼子さんを見つめる客。

「あちらのテーブル席のお客さまもお吸いになっていらっしゃいますから」

「かすが」では客同士のトラブルもない。だれもが、ここが銀座の社交場のひとつだと心得ているからだろう。

「昔はもっと元気だったような気がします。アイスペール一杯にビールを注いで一気飲みをしたり、ゴルフボールは糸が巻いてありますね、その糸をぐるぐる剥がしたり……」

他愛もない遊び、おふざけといってしまえばそれまでなのだが、他愛のない会話や遊びこそ銀座なのである。口角泡を飛ばして政治論や文学談義に熱くなるのは、銀座には似合わないようである。

テーブル席を設けたのも、テーブル席のニーズが広がった時代への対応だった。目に見える風景は変わったかもしれない。これからも変わっていくことだろう。しかし、変わらないもの、変えてはいけないものも、銀座にはあると、礼子さんは語る。

カウンターの上には、美しく盛りつけられた料理が並ぶ

「銀座のルールに対しては、厳しく守ってほしい、守っていきたいと思っています。ここで（銀座で）商売をするのはモチベーションを高く持たなければいけません。大事な商談に入る前には、美味しいものをきちんと食べることですね。基本的に〝一見さまお断り〟なんですが、これはお高くとまっているわけではなく、お客さまが安心して召し上がっていただけるようにと気配りをする、お店側の責任のひとつなんです」

馴染客、常連客に対しても、暗黙のルールが守られている。

「かすが」の常連客の中には、様々な業界・業種の人がいる。お店で知り合い、顔馴染になった常連客もいる。当然のことながら同じ業界・業種の人がいる。また、商談で訪れる場合もあれば、「かすが」の味を楽しみたくてプライベートで飲みに来る場合もある。

馴染客、常連客とひと口でいっても、その日、その日でそれぞれの事情があるということである。知り合い同士の馴染客、常連客であっても、お互いに行動がわかっていい場合もあれば、あまり芳しくない場合もある。それはお店の側からはわからない。

そうした〝事情の機微〟を敏感に察知して、さりげなく、手抜かりなく対応、段取りができているのも「かすが」ならではのことである。

とりわけ細やかな気配りがなされているのは、馴染客・常連客が同じ業界・業種の場合である。同じ業界の馴染客同士が同じ日に予約を入れるときもある。バッティングしたらまずいのではと感じた場合は、時間をずらすなどして、客の不快感、トラブルを避けるように配慮する。

「お客さまには、商談をうまく収めるためにお店を使っていただきたいのです」

だから、ニアミスを避ける気配りを忘れないのである。

「カウンター席であっても、そこには見えない壁があるんです。たまたま隣り合ったお客さまに『こちら〇〇会社の△△さんです』などと、こちらから口をはさむことは絶対にありません」

要するに馴染客、常連客であっても「見ざる、聞かざる、言わざる」をさりげなく実践するのが、銀座ルールなのである。「かすが」で安心して商談ができるのも、それがしっかりと守られているからである。

現在の「かすが」は、ビルの地下1階にある。決して入りやすい店とは言えない。そのことを礼子さんはよくわかっている。

「いらっしゃってから、距離感を縮めるようにしているんです」

親しくなってから本当にわかる「かすが」の味と一緒にお皿に盛られた情。ポテトサラダ、塩辛、キンキの一夜干し、カレースープ……どれも特別な料理ではない。

その味を特別にするのは、お店と顧客とが暗黙のルールの信頼のもとで奏でるハーモニーなのかもしれない。

銀座は成功者が集う街、ひねくれた人が少ない街です

――「銀座和蘭豆《らんず》壱番館」佐藤慶介

美味しいコーヒーが淹れられたときやりがいを感じる

銀座には、明治時代創業の現存する最古の喫茶店をはじめ老舗の喫茶店がいくつもある。「モガモボ（モダンガール・モダンボーイ）」が闊歩した1920年代（大正末期から昭和初期）、終戦から高度成長、昭和から平成へと銀座の喫茶店は、銀座を見続けてきた。

「カフェーパウリスタ」「資生堂パーラー」「カフェ・ド・ランブル」「銀座トリコロール」「十一房珈琲店」「ウエスト銀座本店」……。いずれも銀座で長年商いを続ける老舗の喫茶店である。

コーヒー店には朝も昼も夜も客が集う。でも、銀座のコーヒー店は他の街のコーヒー店とは昼間と夜とで別の表情を見せる。

銀座に店を構えて 50 年という老舗の人気店「銀座和蘭豆壱番館」。
コーヒーを通して見た銀座の姿をチーフの佐藤慶介さんに語ってもらった。

「銀座和蘭豆壱番館」も、そんな喫茶店のひとつである。

創業は1969年、2019年の昨年で50年の歴史を刻んできたことになる。昭和のレトロな雰囲気が漂い、落ち着いた時間に浸れる自家焙煎の珈琲専門店である。銀座本店をはじめ浅草、蒲田にも店がある。銀座店は、テレビや映画の撮影場所としてよく使われる。

「和蘭豆」といえば、酸味の強いやや濃いめのアイスコーヒー、「フィナンシェ」が評判の店である。ホットコーヒーはサイフォンで一杯、一杯丁寧に淹れてくれる。

本店を任された佐藤チーフは朝、出勤すると、創業当時から人気のアイスコーヒーを落とす。大体60～70人分ほどの分量になる。

「お客さまにお出しする前に、従業員に試飲してもらうんです。美味しいと言われたときがいちばんうれしいですね」

事務作業も10時半までに済ませてしまう。定番の人気商品ばかりに安住せず、新しいメニューの開発にも挑み、日々努力を重ねている。さらにスタッフのシフト整理と午前中の仕事が続いて、すぐに昼になってしまう。

「この仕事のやりがいですか？　やはり美味しいコーヒーを淹れられたときです」

昼間の客は、サラリーマンが多い。昼食のあとの休憩。打ち合わせ等に利用するサラリーマンたちである。

「30年、40年とコーヒーを飲みに顔を出してくれるお客さまもいます」

銀座の客は老舗の喫茶店を好み、お気に入りの喫茶店をもっているようだ。

店が混むのは夕方から

佐藤さんの現在の仕事とのかかわりは飲食関係のアルバイトにはじまる。

「30歳になったときいったん（飲食関係の仕事から）離れてみようと思ったんです」

そして、就いた仕事は車の運転だった。5年ほど働いた。

「3年ほどバーテンダーの経験もあるんですよ。飲むよりもつくる側のほうが好きになった時期でした」

自分の生き方を見つめ直したとき、結局自分はコーヒーが好きだということにたどり着いた。

「蒲田のお店で5年ほど働いて、銀座のお店に異動してきました」

40歳を超えた、まさに働き盛りだった。

「店長がいたんですが、地方に帰ることになってしまって」

実質的にはすぐに店長の役割を果たすことになった。

「しごかれて仕事を覚えさせられた最後の世代ではないでしょうか」

先輩、上司に怒られ、叩かれて仕事を覚えてきた。バケツを投げられたこともあった。佐藤さんは若いときに自分がしごかれたから、今度は若いスタッフをしごいてやろうというタイプの人間ではない。

「あまりスタッフを注意しないんです。失敗して、何がいけなかったのか自分で考えなさいというスタンスで接しています」

自分の時間を持てる余裕をもちなさいというアドバイスもしている。

「店が混むのは夕方からですね」

クラブママたちの同伴が少なくなった

一杯のコーヒーを通して見た銀座とそこに集う人々。佐藤さんは近頃、ある変化を感じているという。

「以前と変わったところと言えば、会社関係への出前が少なくなったことですかね。出前専門のアルバイトを雇っていたほど出前が多かったですから」

減ったのは出前だけではない。クラブママたちの同伴が少なくなった。

「ホステスの同伴はまだありますが」

サイフォンで丁寧に入れられたコーヒー。スイーツのように甘いトマトジュースも人気だ

その同伴も近ごろは変わってきたようだ。ホステスの同伴に対する姿勢に不満を抱いている客もいて、愚痴をこぼされることもある。午後3時、4時ごろ呼び出すと、やって来る女の子の装いに文句が出る。通常の同伴時間には早いからといって、友だちと待ち合わせをしているような気軽な服装で現れる。やはり、客と会うのだから、相応のきれいな装いで来てほしいと苦笑をもらすそうだ。

「これまでこの仕事を辞めることは考えなかったですね。身体的に辛いことといえば、人（スタッフ）が少なくて、休みが取れなかったことですか（笑）」

ご時世に掉さして、「和蘭豆」では煙草が吸える。なるほど銀座の喫茶店だということを改めて感じさせてくれる。

「どこよりも落ち着く場所、休憩に来る場所と考えているからです。可能な限り喫煙はつづけようと思っています」

もちろん嫌煙派への配慮も。店内には空気清浄器を数多く配して、換気の気配りは行き届いている。

銀座は観光地になってしまった

「現在の銀座は新しい店と古い店が入り混じっている街です。でも、現在の銀座は観光地になってしまいましたが」

個人的には中央通りより、並木通りのほうが楽しいと語る。

もうひとつ大きな変化が見られると言う。

「ポーターさんの数が少なくなりました」

ポーターとは、高級クラブの客の車を預かったり、タクシーや白タクを手配したりするスタッフのことで、夜の銀座特有の商いである。銀座のクラブを語るには不可欠なのだが、今回は諸般の事情からポーターさんの証言を得ることができなかった。

「銀座の中にいるお客さまを大事にしたいと思っています」

外から銀座に来る客をないがしろにするという意味ではない。銀座人を大切にすることを通じて、銀座に遊びに来た人に自然と銀座のよさをわかってもらえるようになればいいと考えているからである。

「この仕事をしていると、とても勉強になります。会社の社長さんたちが多いので、他愛もない会話から学ぶことが多いです。銀座は成功者が集う街ですから。ひねくれた人が少ない街です」

言葉を選ぶように控え目な口調で語ってくれたのだが、ここにも、強く深く銀座を愛する男がいた。

この商売、人間関係だけが生き残る道です

——不動産会社B社長

バブル期を超える需要で即決

銀座の街は、南北に通りが走っている。ど真ん中で中央通りと晴海通りが銀座4丁目で交差している。縦はコリドー通り、外堀通り、ソニー通り、並木通り、レンガ通り、すずらん通り、あづま通り、昭和通り。横には花椿通り、交詢社《こうじゅんしゃ》通り、みゆき通り、松屋通り、マロニエ通り、柳通りとなる。

とりわけナイト系の店が集中しているのが、並木通り、花椿通り、交詢社通りのエリアである。そして、煌びやかなクラブ、バーに不可欠な「住」のバックヤードといえば、テナントビ

銀座八丁目。高級クラブや飲食店など、様々な店が軒を連ねている

ルということになるだろう。大箱から小箱まで銀座のテナントビルには、多種多彩なクラブが入っている。

「ポルシェビル（奥村プラッツビル）」「ウォータータワービル」「アスタープラザビル」「銀座會舘」「プラザG8ビル」……銀座の高級クラブ、バーがテナントとして名を連ねている代表的なビルである。「ウォータータワービル」の入り口などは、テレビドラマの銀座クラブシーンなどでよく撮影が行われる場所として知られている。

銀座の不動産事情に詳しい不動産会社のB社長に「住」に関する話を聞いてみた。

「ここ5、6年はバブル期を超えていますよ。供給される物件よりも圧倒的に需要が上回っていますから、話があれば即決です。とりわけ50坪以上の大箱は争奪戦が激しいですね。お店が繁昌するかはスタッフ次第。スタッフに恵まれ、やる気のある子はやはり自分の店を出したがります。10坪ほどの小箱の店を借りるオーナーは、内装まで手掛ける余裕がない場合もありますす。ですから、リース店舗も増えています」

テナント物件には、内装設備はなく、建物の躯体のみのスケルトン物件と、元からの内装や設備が残っている状態の居抜き物件とがある。クラブやバーなどの需要物件は、内装など特徴的なつくりになっているため、ふつうの飲食業の店として転用には不向きであることと、エリアやテナントビルの仕様などから物件が限定される傾向にあるので、居抜き物件が中心となりやすい。さらに、入居前から内装、造作、厨房設備、什器などが備わっているので、すぐに営業ができるリース店舗が多いようである。内装工事や機器の購入にかかる初期費用を抑えられるメリットがあるからだ。

銀座クラブ事情の移り変わりはどうだろうか。

「オーナーママのお店としてがんばっていたクラブが、企業化するケースが増えていますね。増店に次ぐ増店で、8軒のクラブを経営しているママもいます」

ママの魅力、つまり個人的手腕というより、企業体としての経営効率の巧拙が、お店のにぎわいに大きく影響しているということなのだろう。

「銀座のビルを丸ごと買い取ったママも2人ほどいますから」

こういうママは、上場企業の経営もできるのではないだろうか。

「50坪クラスなら坪4万円の家賃を払えば、すぐに決まります。当社が手掛けた物件で、解体が終わったばかりでリーシングにかかっているんですが、すでに満室状態です」

リーシングとは、簡単に言えば、不動産を賃貸する商業施設（テナントビル）にテナントを誘致する営業活動のことである。

「テナントビルの家賃は1、2階が特別で、それ以外の階はおおむね同じですね。3階以上が1坪（3・3平方メートル）当たり4万円程度だとすれば、1、2階は17万円ほどです」

銀座で新しくクラブを開業しようとすれば、どのくらいかかるのか。

「一般的な例をあげれば、敷金に相当する保証金が10ヶ月〜12ヶ月分、これに管理費や礼金などを加えると、初期費用として家賃の14ヶ月〜15ヶ月ほどかかると見ておいたほうがいいでしょう」

もちろんこれだけでは済まない。そこに内装費も計算に入れておかなければならない。内装のこだわりには際限がない。高級感をとことん追求しようとすれば、数千万円どころか億単位になるかもしれない。

「賃貸の斡旋だけでなく、内装の紹介も頼まれますよ」

銀座「中央通り」は値段がつかない。坪当たり億円も

「銀座の物件の特徴は、やはり手数料が大きいことです。クラブをはじめとする店舗専門に扱っている業者は、10社ぐらいでしょうか。場所については、並木通り、花椿通りあたりのビルが人気がありますね」

そうした一方で、

「お客さまの好みによりますが、人気のあるテナントビルが集まる界隈より、離れたところの

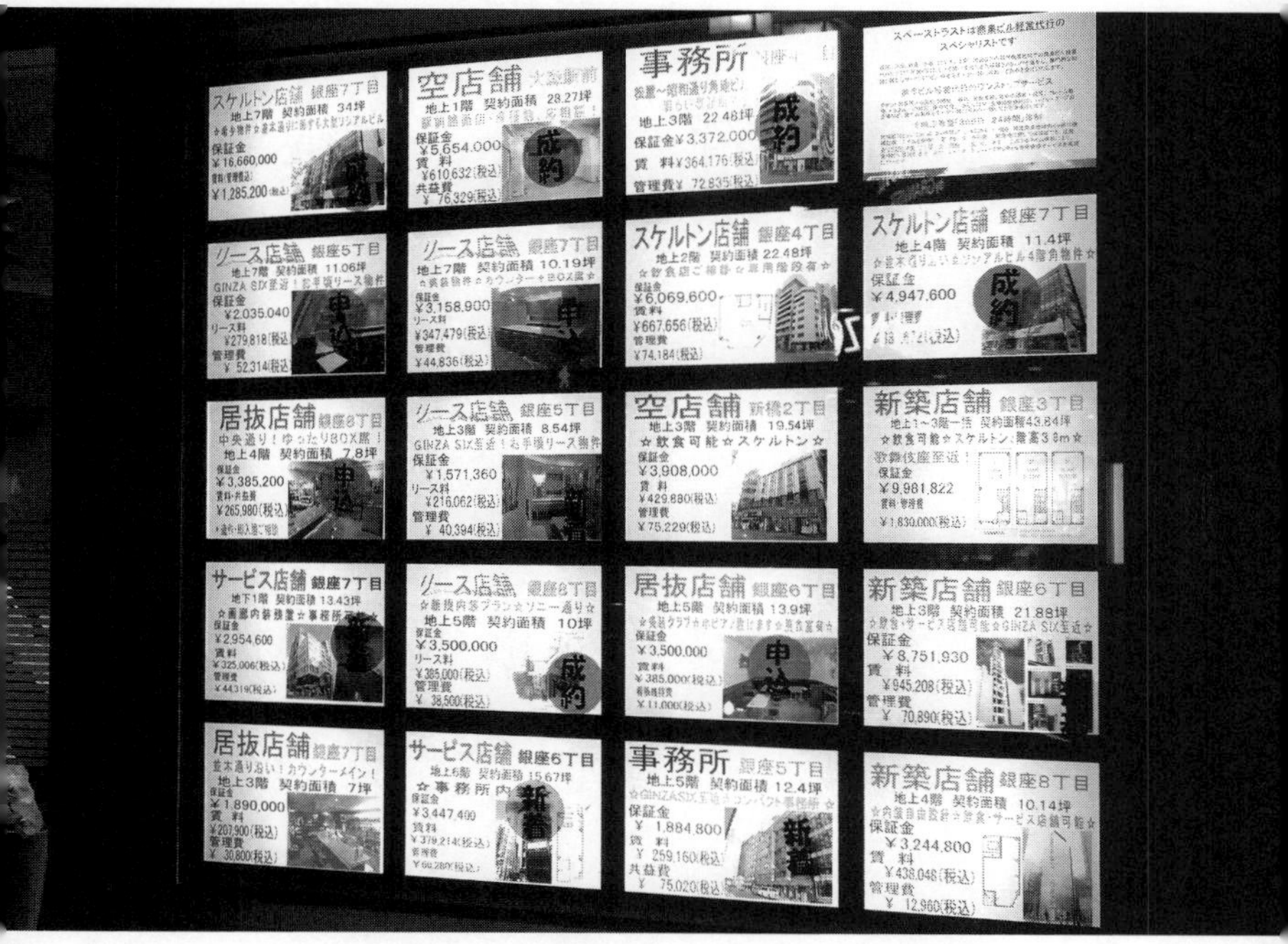

銀座の不動産会社の店頭広告。銀座８丁目、４階７坪の物件で月の家賃約 27 万円とある

ほうが安心できるという方もいます。中央通りに沿った5丁目辺りは値段がつかない状態です。坪2億円と言われている土地もありますから」

それでも、冒頭で触れたように需要が上回る状況が続いている。

「家賃1坪30、40万円といったテナントも決まっています。アンテナショップ感覚で借りているんでしょう。ほかのブランドに好立地の場所を取られないようにという流れもあります。株式公開などで巨額の金をつかんだ社長が銀座にビルを持ちたいというので、紹介したこともあります。彼らは利回りなど度外視して100億円前後の物件をキャッシュで購入するんです」

やらなければ何もできない

B社長は銀座に会社を構えて30余年。銀座での不動産業は50年に及ぶ。その豊富な不動産取引の実績はかなりのものである。

「ここ2、3年で140億円ほどの取引をしました」

これまでもいくつも100億円前後の取引を成立させてきた。

「でも10億円の商いができない業者がいっぱいいます」

辣腕ぶりを発揮するB社長だが、悔しい思いも経験してきた。

「見方が甘かったんでしょうね。それが接客の仕方にあらわれたのか、他社に決められてしまいました。大切にしなければいけないのは義理と人情。何よりも筋を通すことが大事です。この商売は、人間関係だけが生き残る道ですから。この先、銀座がどうなるか。東京オリンピック後は景気が悪くなるなどと言われているけど、わからないことは考えないようにしています」

どこまで本音の言葉なのかわからない。ただ、どんなときも「筋を通す」生き方をしてきたことだけは確かだと感じた。

「どんな商売にも言えることですが、銀座で不動産業を営んでいて、やらない人が多いんですよ。できないものと決めつけてしまっているんです。当社にとってはありがたいことかもしれませんが、それではだめです。やらなければできないのです」

すべてを任せられると、客から信頼されること。言葉は悪いけれど、業者が「ケツをもつ」と腹をくくること。

「それでも、なびかないお客さまも大勢います」

そう言ってB社長は笑った。その笑い声は、銀座の不動産業はむずかしく、奥が深く、また、やりがいがあるのだといっているようだった。

銀座の人は白い花がすきですね

――「銀座花壇」窪西芳子

午前0時過ぎにもうひと商売できた

「住」という入れ物に彩りを添えるのが内装や調度品ということになるのだが、日々の鮮度という色とりどりの華やぎで包むのが花たちである。

銀座6丁目～8丁目の通りに沿って歩いていると、目につくのが花屋さん（フラワーショップ）である。1階に花屋が入っているビルの上階にはまずクラブがテナントとして入っている。こんな風景を目にするだけでも、クラブと花屋さんに深いつながりがあるのがなんとなく伝ってくる。

夜の銀座を歩くとクラブの店先に飾られた花々をよく見かける。クラブの開店祝いや周年祝い、ママやホステスの誕生日に、花は夜の銀座に欠くことのできないアイテムなのだ。

銀座の並木通りなどを歩いているとビルの1階に、たくさんのスタンド花が並んでいる光景を目にしたことがあるだろう。そのビルに入っているクラブのママやホステスの誕生日や、店の10周年、20周年、50周年などを記念する祝い花である。また、新規の開店祝いなどにも、スタンド花は飾られる。いつごろからだか、定かではないがクラブのイベントには花がつき物となっている。

スタンド花の数が、あたかもそのクラブママの人気、クラブの隆盛度を象徴しているように感じられる。スタンド花の数はさほど変わらなくても、花自体の豪華さにもクラブの人気がうかがえるだろう。店内に入れば、胡蝶蘭など高価な花が飾られ、ひときわ銀座クラブの華やかさを強調することになる。銀座クラブには、常連客たちが競うように、あるいは共に喜びを分かち合うように花を贈る文化が根付いているようだ。

そうした花々は、銀座の花屋さんに注文されるのだ。

夜の通りに匂やかな美しい花々を並べている花屋さんのひとつ「銀座花壇」の女主人・窪西芳子さんは、御年82歳。花を通して、クラブママ、ホステス、そして客をめぐる夜の銀座の移り変わりをずっと見てきた。

「銀座花壇」は、バラと洋ランの老舗として長年親しまれている花屋さんである。

「昔は夜中の12時を過ぎてもうひと商売できましたね」

「銀座花壇」はクラブやバーなどが入るビルの一階にある。銀座ならではの立地である

バブル崩壊前後の銀座。まだコンビニもなかった時代の話である。銀行が完全週休2日制（平成元年2月）になったころである。

「朝6時までお客さまがいました」

飲み遊んだ客が白タクで10万円も使って自宅に帰る時代だった。

「バラを1000本買うお客さまもいましたね。当時の値段で50万円ほどだったかしら」

お目当てのクラブママやホステスにサプライズで贈るためである。

「『この店にある花全部くれ』というお客さまもいましたよ」

これ見よがしに金をばらまいていたその客は、後日、大阪で詐欺罪で捕まったそうだ。

「映画俳優やプロ野球選手も、花を買ってクラブに顔を出すんです。そのころはカトレアまは社用族をはじめ、弁護士、医者、自由業が多かったですね。お花自体の値段は現在のほうが高いかしら。お客さまは社用族をはじめ、弁護士、医者、自由業が多かったですね」

夫が娘たちのためにはじめた花屋だった

花屋をはじめる前は、実家は不動産業を営んでいた。

「うちは娘がたくさんいる家庭でしたから、主人がもし娘たちが出戻ってきても食べていけるようにと、花屋さんをはじめたんです」

スペース的に手頃な権利譲渡の物件があった。権利譲渡とは、名義変更などの切り替えの際に、その場所で営業ができる権利を売り買いすることを言う。安い買い物ではない。

「トイチでお金を借りたんです」

トイチとは10日ごとに1割の金利が発生する高利の金貸しのことである。たとえば100万円を借りたら10日ごとに10万円の利子を払わなければならないということである。利息制限法や出資法に照らせばそんな高利子は違法なのだが、笑顔で振り返ってくれた窪西さんの言葉から、不退転の覚悟で商売をはじめたことが伝わってきた。

「周りからもこんな家賃の高いところで商売はやめたほうがいい、とずいぶん忠告されましたね」

案の定開店した日に客が来ない。やっぱり、と落胆していたところ、

「夕方からお客さまが来てくれたんです」

親の子を想う心情は、いまは家族に受け継がれている。現在も銀座でしなやかに生きてきた女傑の風格が言葉の端々から漂う。

「〝銀座病〟になってしまう。毎月1回は来ないと落ち着かないとおっしゃってくださるお客さまもいます」

よほどの花好きなのだろう。

「週2回、買いに来てくださるお客さまもいらっしゃいますよ」

昔のホステスは気風があり、根性があり、気遣いができた

「女性（クラブママやホステス）も買いに来ます。お客さまの誕生日などにプレセントとして贈るんです」

夜の銀座は、銀座が変わったから女の子が変わったのか、女の子が変わったから銀座が変わったのか、答えは簡単に出て来ない。

「昔のホステスは気風がよかった。上に上りつめてやろうという根性があって、それでいて周囲の人に気遣いができましたね。そんな女の子の何人もが、現在オーナーママになっています」

「会社関係も花を買ってくれます。電話とFAX注文がほとんどですけど。お得意先、お取引先のイベントなどの際に贈るんですね」

銀座の花屋は、当然のことながらナイト系のお店とのつながりが欠かせない。そこには独特の銀座スタイルがある。

「銀座は風船を使いませんね。アレンジは室内花、スタンドは外に飾ります。スタンドは2段飾りが一般的です。値段は平均して1万5000円程度ですね。時間指定で店内装飾を頼まれることもあります」

「銀座の人はバラが好き。菊はあまり好まれませんね。白い花が好きです」

「ほかの街の花屋さんは数百円〜数千円単位のお客さまだと思われますが、銀座の花屋のお客さまは万円単位で買っていきます」

商いのやり方がほかの街と銀座では勝手が違うようだが、ほかの街の花屋さんが銀座の街に参入してくることに関しては、大いに歓迎している。

「一回やってみれば、と言いたいですね。銀座には東京の街から消えかかっている人情味があります。ここは、銀座村といわれていますから。入ってしまえば、ほんとうに居心地がいいんですよ」

銀座の花屋で買われていく花は、祝い事の花がほとんど。でも、かわいがっていたワンちゃんが亡くなったり、贔屓にしていたホステスが病死したりしたときの悲しい花もしめやかに買われていく。

銀座の花屋は、夜の銀座の喜怒哀楽をずっと見つめてきた。

そして、これからも、花の香を届けながら、「銀座花壇」はそっと銀座を見守っていくことだろう。

あとがき
～「夜の銀座」雑感～

昭和から平成、そして令和へ時代は移った。大きく変わってしまったものもあれば、変わらないものもある。私の心に引っかかったのは、この国から忘れ去られてしまうものもあるということだった。たとえば「粋（心意気）、張り」といった生きかたである。

先日、若手のライターから「いきって何ですか?」と聞かれた。21世紀の日本では「粋、張り」といった言葉は死語になってしまったのだろうか。かろうじて「粋」が息づいているところはどこか、私が思い浮かべたのは「吉原」「銀座」「京都花街」であった。そこで第1弾として「吉原」の粋を探索した。第2弾が、今回の「銀座」である。

銀座高級クラブは「夜の商工会議所」などと称され「成功者」「一流の男たち」が集まる場所としてずっと遇されてきた。ほんとうのところはどうなのか、それを明らかにしたいと「夜の銀座」に「粋、張り」の観点から切り込んだ取材であった。

日本人は「粋、張り」を、どうして善きものとしてきたのだろうか?

かつて評論家、劇作家の福田恆存《つねあり》は、江戸時代の遊郭を例に挙げてこんなふうに書いた。

西洋風にいえば姦淫の場所と称すべき遊郭を、あれほど複雑に美化し、遊郭独自の美学を生みだした国民は、洋の東西に類を見ない。江戸時代の日本では、遊郭を美化して、その存在を認めていたと同時に清潔な結婚の場としての家庭をも美化して、両者の併存がおこなわれていた。それはやはり道徳の根柢《こんてい》に、あるいはそれ以上の生きかたの基準として、美感というものが日本人を動かしていた、と。

道徳の根柢以上の生きかたの基準としての「美感」。日本人は物事の判断、評価を善悪ではなく、いかにして美しさを感じるか、何に美しさを感じるか、つまり、美感という包括的知覚を重視してきたと言っているのである。

「粋、張り」は、福田が喝破した日本人の生きかたの基準としての「美感」を具現化したものだと考えるとわかりやすくなる。

「夜の銀座」を代表する銀座クラブの「美感」は、ママやホステスの容姿、豪奢な着物、店の豪華な内装、多彩な酒といったことだけでは生まれない。そこには知性と品格が求められる。この場合の知性と品格というのは、いかなる客に対しても期待以上の接客、もてなし、仕える心を持ち合わせているということである。

銀座クラブの常連客たちは、虚実併せ持った銀座の〝もてなし（手練手管）〟をよく理解しているとみなされている。それが、銀座で遊ぶ一流の男の条件になるようだ。

銀座には、なぜ一流のクラブ（店）と、一流の男が集まると言われているのか？

金と地位、権力を得た人間が最終的に求めるのは、金、地位、権力では得られないものだと思う。たとえば、それは「粋、張り」のある生きかた、遊びかたに具現化される「美感」。銀座クラブに集う男と、男を迎える女は、「粋、張り」が銀座にはまだ忘れられずに、失われずに残されていることをわかっているのだろう。だから、功なり名を遂げた者たち、成功者と言われる人たちが集まる。

高級クラブママたちが「銀座のクラブは女の子を口説くところではなく、粋とダンディズムを磨く場所です」と大見得をきるのも、ゆるぎない「美感」を具えていることを自覚しているからだろう。銀座高級クラブだから一流の男たちが集まる、一流の男が集まるから高級クラブだというのは、後づけにすぎないのではないかと思う。

暮れも押し迫った昨年の12月25日、クラブ「昴」の25周年祝賀会が都内のホテルで催された。本来は10月に予定されていたのだが、台風の影響で変更を余儀なくされていたのである。こうした催しも、歴史ある銀座クラブには欠かせない「もてなし」の一つだと言えるだろう。銀座クラブの祝賀会を取材したのは初めてだった。

律子ママは祝賀会を半ばあきらめかけていたが、常連客の励ましで催すことを決意したそうだ。クリスマスという日にもかかわらず会場は常連客、同業者のクラブママなどで満席、銀座村に集う人々の絆の強さを感じた。

催し物として津軽三味線小山流の演奏に、赤坂芸者の踊りと芸者遊びに興じる常連客たち、この夜ばかりは華やかな銀座の夜が、そこにあった。クラブを愛する人たちの集いの場を、日本の伝統芸能が盛り上げる。「美感」をカタチにした「粋、張り」の伝承の一端を垣間見た一夜であった。

銀座バーも、夜の銀座を支える割烹をはじめとするバックヤードも、銀座クラブと同じようにほかのどの街、他の場所でもない、銀座という街だからこそ生きてこられたということを強く自覚している。一歩店内に入れば、それぞれの店が培ってきた「美感」がその想いを語ってくれる。

つまるところ、「夜の銀座」に人々が引き寄せられるのは、意識していなくともこの街の「美感」にふれたい、味わいたいからなのだ。

その思いは、銀座街を歩くときからすでに始まっている。銀座には、ほかの盛り場にはない落ち着き、上品なネオンの彩りがあり、それが心地よさを誘う。その心地よさは、自然と背筋が伸びてしまうような心地よさなのだ。そんな銀座の空気に背を押されて店のドアを押す客たちを、笑顔が包んでくれる。そして、今宵もまたそこに「美感」が生まれる。

クラブ「昴」の律子ママ、クラブ「ランデル」のらんママ、クラブ「藤」の藤子ママ、クラブ「櫻子」の櫻子ママ、クラブ「華壇　銀座」の居村社長、クラブ「りぼん」の市川オーナー、バー「銀座テンダー」の上田さん、バー「いのうえ」の井上さん、バー「ル・ヴァージュ」の岸さん、「サロン・ド慎太郎」の慎太郎ママ、レストラン「みやざわ」の清水さん、業務用酒販店のA社長、割烹「銀座　汁八」の悦子女将、「酒と味　大羽」の大羽さん、割烹「かすが」の礼子さん、喫茶店「和蘭豆」の佐藤さん、不動産会社のB社長、「銀座花壇」の窪西芳子さん。

取材に快く応じていただいたみなさん、ほんとうにありがとう。

そして、この本を手にしてくれたあなた、ありがとう。

最後に、前著『吉原伝説の女たち』と同様に、今回も写真を担当してくれた酒井よし彦さん、編集担当の権田一馬さんに心から感謝したい。

取材協力店一覧

【第一部】

・「Club 昴」東京都中央区銀座 8-6-21 ウォータータワービル 4 F
・「RUNDELL」東京都中央区銀座 8-5-13　ST ビル 2,3 F
・「くらぶ　藤」東京都中央区銀座 8-4-2　たくみビル 9 F
・「櫻子」東京都中央区銀座 8-7-21　三恵ビル B1F
・「クラブ 華壇 銀座」東京都中央区銀座 8-5-22　805 銀座 HY ビル 5F
・「club りぼん」東京都中央区銀座 8-8-15　青柳ビル 3 F

【第二部】

・「HARD SHAKE BAR 銀座 TENDER」東京都中央区銀座 6-5-15　能楽堂ビル 5F
・「BAR いのうえ」東京都中央区銀座 8-5-1　プラザ G8 ビル 8F
・「BAR Le Rivage」東京都中央区銀座 8-5-1　プラザ G8 ビル 5F
・「サロン・ド慎太郎」東京都中央区銀座 8-6-24　銀座会館 6 F

【第三部】

・「銀座　汁八」東京都中央区銀座 8-5-1　プラザ G8 ビル 2F
・「酒と味　大羽」東京都中央区銀座 8-6-11　新和ビル 3 F
・「割烹　かすが」東京都中央区銀座 7-8-18　Y.A.D.GINZA7BLD B1F
・「レストランみやざわ」東京都中央区銀座 8-5-25　西銀座会館 1F
・「銀座和蘭豆壱番館」東京都中央区銀座 7-3-13　ニューギンザビル 1F
・「銀座花壇」東京都中央区銀座 7-3-9　リービル 1F

著者紹介

石井健次（いしい・けんじ）

1947（昭和 22）年、長野県生まれ。雑誌、新聞等にビジネス、人物ルポ、自己啓発関係の原稿を執筆。著書に『藤平光一氣のみち』『IAS 国際会計基準』（日刊工業新聞社）、『かれらは公開経営を選んだ』（日経 BP 社）、『中村天風が惚れた　心を最強にする道』（青春出版社）、『夢のにほひ』（文芸社）、『千利休は生きている！』（日本地域社会研究所）、『吉原　伝説の女たち』（彩図社）など。

本文写真：酒井よし彦
カバー写真モデル：千恵

銀座で生きる

2020 年 3 月 19 日　第 1 刷

著　者　　石井健次

発行人　　山田有司

発行所　　株式会社　彩図社
東京都豊島区南大塚 3-24-4
ＭＴビル　〒 170-0005
TEL：03-5985-8213　FAX：03-5985-8224

印刷所　　シナノ印刷株式会社

URL https://www.saiz.co.jp Twitter https://twitter.com/saiz_sha

ISBN978-4-8013-0439-0 C0095